WAC BUNKO

これからの日本と
世界を読み解く

日本発の世界常識革命を

世界で最も平和で清らかな国

日下公人

WAC

はじめに――米中コロナ合戦はいかに? そして「ニッポンファースト」と言おう!

「フランス革命」が一段落したとき、生き残った人が集まり顔を見合わせて、〝何だか口のうまい人ばかり残ったナ〟と言ったらしい。口下手な人はギロチンで処刑されたのである。

〝口がうまい〟とはどんなことをさしていっているのか。これがそうか、と思うことが近ごろ多いので書いてみよう。

第一はそういう人がつくった時代と社会が〝近代〟と呼ばれるものらしく今はそれにうんざりしている人が多いということである。

第二はそういう人達が集って〝近代をこえて〟といい出しているのに対し、背をむけている人が多いということがある。

その人達は近代を越えた先には何があるのかを言わねばならないのだが、そこが百花繚乱のまま放置されている。

そして第三だが、幸か不幸か、二〇二〇年初頭から、コロナの問題が発生して、ポストコロナとかをいろいろと議論する時代が今、はじまろうとしている。

分りやすくいえば、まずは、コロナは天災か人災か、だが、どちらにせよコロナ問題はいずれ終わるから、そのあとに残るのはやはり中国とアメリカの戦いの話になる。

アメリカでは民主党と共和党の人が集って習近平の中国に賠償金を要求しよう、とか、取立てようとか、中国がすでに保有しているアメリカ国債の償還をストップしようとかいろいろいっている。

コロナの兵器化の前に金融の兵器化があったということだが、金融の兵器化は言うのは簡単だがそれを実行するのは何党なのか、それとも挙国一致なのか、そのときウォール街の反応はどうか。

だが何よりも数カ月後の十一月に迫っているトランプ大統領の選挙にどう影響するかが大問題である。

それに関する観測や意見が一段落してから考えようと思うらしいが、選挙の頃にはコロナの問題の方が一段落になっているかも知れないし、第二の局面がはじまっているかも知れない。

ともあれ、そこで思い出すのは幕末の頃、水戸藩士の藤田東湖は、日本と日本人の精神をたたえて〝発しては萬朶の桜となり、凝っては百錬の鉄となる〟に続けて〝我々は神州清潔の民〟と表現したことだ。

清潔は小学校の頃はさんざん強調されたのでそれを言われると急に格調が下ったように感じるかもしれないが、なかなかどうしてそうではなかったことがコロナ騒動の今なら分る。清潔のコストは高い。

だから当時は世界中が不潔だった。清潔は金持ちだけが独占していて、貧乏と不潔は同居していた。子供達が友人をバイキンと名づけて差別するのにはそれなりの理由があった。

そのころ村の医者が、気の毒な人をなくすのは簡単だ。薬よりカネを配ればよい、と話すのを横で聞いて〝医学より経済か〟と思ったが、今は本当にそうなった。


日本は憲法で不戦ときめているのでその分、財政には巨大な余裕がある。

日本の健康保険の普及率が百％というのは世界七不思議の一つだが、健康保険が普及して百％近くになるとまず難病・奇病がなくなった。それは保険による統計が整備されたので、すぐに発見される。また、統計があれば製薬メーカーの努力がそこに集中するということもある。売上高の予測が成立するから売れる薬は量産され、安くなる。

また化学が進歩すると新薬の構造式をみてどんな薬効を期待して開発されたものかが分るようになる。

それが売れていれば類似品をつくる会社が出てくる。そこで特許戦争や広告戦争が始まる。

製薬会社は大規模ほど有利だというので大合併が進む。薬の相似化は会社の相似化になり、また、ジェネリックの復活にもなる。

そもそも薬効とは何なのか。

「鰯の頭も信心から」というのはどの程度までホントなのか、と考えているうちにバイキンの方が変化してコロナは四種類に分化するとか、人間が考える〝対策〟の先へ変化しているから〝考えるコロナ〟があるのではないかとか、一体コロナとは、生物なのか、物質なのかとかで問題は人間が考えているよりも先へ先へ進んでいる。

もともとウイルスとは顕微鏡では見えないくらいの微生物という意味だから、野口英世がいくら顕微鏡を覗いても何も見えなかったはずだが教科書にはそれは書いていない。

ロックフェラーが建てた大学の一角に野口英世の銅像が建っているのは研究の功績にではなく、むしろ〈白人に負けじ〉と新分野に挑戦した意気ごみに対するものかも知れない。往時の日本人はそんな気持ちでここを訪れたと思うが、今は大分ちがっている。

口のうまい今の日本人は何と言うのか。

それとも金ができた日本人はもう何も言わないのか。

それは人さまざまだと思うが学者はともかく研究費が欲しい。研究テーマも欲しい。一刻も早く成果をあげなくてはと思うところへ中国から新研究のおさそいがかかる。そこで日頃あたためているテーマがあればその話をする。

教えているのか、アイデアを盗られているのかは不明だが、そんなところから日中共同の研究が花を咲かせるのはよく分る話で、次は中国がつくる共同研究会に名をつらねる人がたくさん現れる話になる。

その次はトランプ大統領が怒ってアイデアの流出をとめるが、そのときの看板は「アメリカファースト」である。

日本は何歩もおくれて、「学問に国境はないが学者には国境はある」とようやく言っているが、ホントかどうか。

コロナ危機に直面して、日本人も、みんな「ニッポンファースト」というしかないだろう。

令和二年六月

日下公人

日本発の世界常識革命を

世界で最も平和で清らかな国

目次

はじめに――米中コロナ合戦はいかに？ そして「ニッポンファースト」と言おう！ 3

第1章 世界で最も平和で清らかな国 17

我ら「神州清潔の民」
国民の合意として自然成立する王朝
日本の伝統文化があまりに立派すぎて
日本発の世界常識革命
日本製品は「商品」ではない
天皇の祈りとともに初日が昇る
〝日本ルール〟を提案せよ
勝ち負けの予測より大義と名誉
ラグビー日本代表チームが教えてくれたこと

第2章　教育と国内問題の新常識

いじめに対する自主防衛教育を
関東と関西で異なる「公共事業」
教育の権利は誰にある
現憲法を廃止すれば十七条憲法が復活する
働いているのは安倍首相だけ
時を逃さず登場する人材
ゴーンいわく「日本には有難い人たちがいる」
あまり人には言えない健全な常識
私立医科大の縁故入学は当然
あの戦争に成算はあったか
あらゆる責任は国民にある

第3章　日本外交の課題と使命　111

学者的経済とトランプ的思いつき経済の争い
国民の疑問──なぜ対米戦争を始めたのか
二十一世紀の「内臓に至る病」
日本に甘える国には厳しく対処せよ
日本発の世界史と日本論が盛んになる
欧米文明クソくらえ
ウソをつく人は必ず統計を使う
言葉を必要とする世界
周辺国に国家のあるべき姿を教えよう
省庁の縄張り争いで削りに削られたもの

第4章 世界に冠たる先進国ニッポン

中国共産党が恐れる日本の武器
アメリカの経済学より日本の常識
〝日本の心〟が世界に勝つ
明治憲法は生きている
冷たくするのも国際親善のうち
「日本価格」を知らないマスコミと経産省
日本を見下す国に明日はない
日本語が国際標準語になる日
安倍首相の〝無手勝流〟
まだ世界が気づかない価値観

装幀／須川貴弘（ＷＡＣ装幀室）

第1章

世界で最も平和で清らかな国

我ら「神州清潔の民」

何百年か昔、海外から病気が入ってくるときは港からきた。アジアからの船と乗組員が病原菌をもってきた。

そこで、アメリカ・オランダ・ロシア・イギリス・フランスの五カ国それぞれと結んだ安政条約による開港地では、明治になってから検疫所がつくられたのだった。

その近くの医科大か専門学校の学生がアルバイトに動員されたが、一体どんな病気が入ってくるのかわからなかったから、時には命がけのアルバイトだったと言える。

私は何にも知らないポッと出の田舎者で、東京での下宿はたまたま慈恵医科大の学生のたまり場だったので、たちまち麻雀の輪にひっぱりこまれた。

「しっかり手を洗え。パイは汚いからな」

と言われて、

「そんな汚い手は使わないよ」

と笑いながら輪に入ったが、やがて真剣にそう言ってくれていることがわかった。

彼らは実によく手を洗い、口をゆすぐ。

この習慣を日本中に広めたのは慈恵大なのだという。

熱帯病をもって入港してくるのは東京港が一番で、そのときわれわれは断れない。むしろ喜んでゆく。その結果、病気になってしまうこともあるが、病気の経過を記録して第一発見者になる喜びもある。

事実、第一発見者の論文は、慈恵大が書いている場合が多い。手を洗うのはそのために我が身を守る用心で、その結果の名誉である——というので、心から感心した。

それに似た話は明治・大正時代にはたくさんあって、私の母もそうだったから
アーッと思い出した。

第一次世界大戦で日本が戦勝国のひとつになったとき、大蔵省の神戸税関長は「これからは外国船が神戸にも入ってくる」と考えた。

「カバンをあけて見せろ」というのが仕事だが、そのときは女性の公務員がついていた方がよいと考えたのはさすが神戸で、たくさんの女性が大蔵省を志願したが合格した二人に母が入っていた。

しかし、たちまち熱帯病に感染して生死の境をさまよった……と聞いたことがある。

まだ結婚前だから私はこの世にいないときの話で、一週間高熱にうなされてようやく人心地がつくまでの看病は、和式洋式混合の対症療法だけだったろうと想像する。

原因は不明なままの一週間だが、そんな話を聞いていたので何となく、流行病はいずれ治るとか、若ければ治るとか、手を洗えとか、そんな思い出がわが家に残った。

日本陸軍は、日清・日露の両戦役を戦った経験から、一番の敵は不衛生だから帰還兵を二週間は収容して、発病するかどうか見ようときめた。

これにはもちろん猛烈な反対があったが、それは収容所の用地取得と忠勇な帰還兵をバイキン扱いするのか、という名誉の問題だった。

森鷗外は陸軍の軍医総監になる一歩手前だったが、格別の熱意と責任感で解決にあたった。そこで、単にドイツ語がよくできたから出世した、という不評が消えた。

ともあれ、朝鮮・満洲へ出兵すると傷病兵がたくさん出るというので防疫部隊がつくられたが、その教訓は今は行方不明らしい。

中国のコロナウイルスの蔓延からはじまる、世界的規模の不衛生問題と中国的強権政治の恐ろしさが思い出されるが、これらは対岸の火事ではない。もはや日本の問題である。

と、ここまで考えると幕末の志士が日本国と日本国民をたたえるとき、〝神州清潔の民〟と表現したことが思い出される。

清潔とは、単に衛生用語ではなく、心のもち方や日頃の生活態度や行為にまで広げて用いられるのが日本である。

テストや試合でインチキをすると〝キタナイゾ〟といわれ、くりかえすと〝バイキン〟といわれて〝ノケモノ〟になる。

日本外交は相手国を「A級ノケモノ」とか、「B級バイキン」とかに指定して広く世界に同調を求めるべきである。すぐやろう。

衛生には巨額の費用がかかる、ということもわかるだろう。

国民の合意として自然成立する王朝

天皇陛下が、もうやめさせてほしい、と自らテレビに出て〝国民よ、考えてくれ〟と話されたとき、国民はどう考えどう行動したか、について不思議に思うことがある。

天皇がご自分から発言なさるとはヨクヨクのことで、これまで傍観していた自分を恥ずかしいと国民は思ったはずである。

だがマスコミにそう書いたり発言した人はいない。

不思議な沈黙の一週間が過ぎてやがて出てきたのは、またもや数字と法律である。

数字の方は国民の九割方が同感・賛成と出たが、誰が調べたのかは不明で誰に聞いたのかもわからない。法律の方は有識者会議を設けようとかで止まっている。

天皇とは何かを日頃から考えていない学者や有識者は何も言えないらしい（考えるからイケナイのだ）。

天皇のご発言については国民感情にまかせると言えば済むと思うが、学者や権威者はそれ以上のことを言わないと自分の肩書が泣くと思っているらしい。だが数字はない。前例はない。

そこでまた不思議な沈黙の一週間が過ぎるが、そのあいだテレビに映る天皇はみるみるうちに元気になられたので、ああ良かった、と私は思った。だが、これを口にする人はいない。

口にするときは新憲法によって任命された天皇についての意見を言うべき人が何か発言したら……と思うらしい。謙虚なのか、保身なのか、無関心なのか、不勉強なのか、それでは主権在民でない。が、さりとて天皇に自決権があるとは言えない。

しかし、関心はある。天皇に関する情報は欲しい。で、そんな人に質問してみる。

皇室の人は皇統譜（こうとうふ）という特別な戸籍に名前が記載され、結婚して皇籍離脱した女性の場合は退職金がもらえる。前例は黒田さんの三億円らしいが天皇の場合はどうなるのか——だが、そんな場合についての有識者がいると思うのがおかしい。でも首相が一人で決めるのもおかしい——とあって、流石（さすが）の安倍首相も有識者を集めて会議を開くことになった。開いてみたらテレビに映った人は高齢者ばかりで、この会は今回限りのことを考えるのか、それとも皇室全体のことを決めるのかとなると（みんな腰がひけて……）今回限りとなった。イラクに自衛隊を出したとき以来、内閣が決めることは一回限りの臨時特別措置が続いているから、国民は慣れているが、これも変な話である。国民の興味は結婚一回ウン億円だけか――がしばらく続いて、やがて話題は次に移る。

あちらでは……、外国では……、と考えると、外国の王様や女王様は金持ちである。しかし日本は貧乏である。だから日本には革命がないのだ、と教える先生が昔、学習院にいた。

それを学んだためかどうか、天皇は清貧である。もっと金持ちにしないと〝お嫁さんがきませんよ〟と宮内庁の友人に言うと〝天皇ご自身が、質素が一番とのお考えだから……〟と答えるので、私は〝問題はお嫁さんにくる人の方ですよ〟とも言えず、以来、沈黙した。

その後、天皇は国民みんなで考えてくれ、と放送したあとは晴れ晴れとされている。

国民も忘れたかのように世事にかまけた日々を送っている。こういうのが日本らしい。

子供の頃の思い出を言えば、軍国主義の風に吹かれるのは平気だったが、天皇主義の風に吹かれるのは何のことか分からなくて困った。

これからまたそうなるのかどうか。

世界を見るとイギリスのＥＵ離脱以降、急にグローバリズムと国際化礼賛のナショナリズムとか、民族主義とか、ふるさと創生の風が吹いてきた。安倍首相も、私の先祖は東北の安倍貞任（あべのさだとう）、宗任（むねとう）です、と話される。

これまでの三百年間はまとめて忘れた方が世界は新しくなれるのではないか。

多分、ナントカ主義という言葉を使って自分を説明したり、外国を理解したりするのが古いのである。

もっと簡単に考えてみよう。

世界をみると、君主制は王朝としてしばらくはつづくが、十代もつづく王朝はない。国民全体の自然な合意として自然に成立する王朝は今、日本がつくろうとしているものだが、それは女性の個人的な参加を必要としている。

ここから出発しない天皇論は無理がある。

日本の伝統文化があまりに立派すぎて

二十年ほど前、日本にもホームレスがいるというのでいってみたらナルホドいた……と、あるアラブ人がいった。

しかし、日本のホームレスは英語の新聞をよんでいたというのがその人の発見で、新聞をよめる人になぜ職がないか……を説明してくれと、その人は言った。日本は教育過剰国だから……と思いながらお相手をしていると、また別の人はアメリカではホームレスが四人いたらそれは公園の四隅に一人ずついるが、日本では四人全員が一隅にいるのはなぜか、と聞いてきた。

日本では集まれば、なにかいいことがあると考えるのが常識だが、世界はちがうらしいと今度はこちらが驚く番だった（島国と大陸のちがいかも知れない。あるいは歴史の長短もある）。

新聞を開くとA社とB社が合併とか提携とか、何かつながればよいことがあるかのような見出しが毎朝のようにのっているが、他方イギリスがＥＵから脱退とかトランプがＴＰＰに入るのはやめたとか、世界には分裂の話もたくさんある。

世界の動きは多種多様でどれがよいのか悪いのか、サッパリ分らないが日本では今も合同、合併、提携はよいことだとされている。ホントか、ドーシテかと疑う声はあまりない。多分日本は「仲よしが一番」と聖徳太子がきめてから、それが国民の合意になって今もつづいているのである。

しかし、それも終わりが近い。

日本独自のユニークさとか、オリジナリティとかが輝かしいものに上昇して、ノーベル賞が日本人にも手がとどくものになってきた。

オリンピックも数字に現れるレコード（記録）に加えて芸術点が重視される種目がふえてきた。

柔道も昔にもどって一本勝ち重視にかえろうとしている。

いっそのこと日本のものは日本にもどした方がよい。その方がいっそう立派にみえる。世界の人がどう言おうと日本人は自分の選択として自分のスポーツや芸術を追求し完成した方がよい。

世界はそれをまっているので、今はまだまだでも、これからはそうなる予感がある。

夜おそく彦根の町を歩いていると突然、若い高校生の集団にかこまれたことがあった。女子高生たちは長刀をもったり弓をもったりして、グングンと歩いてゆく。男子高校生は剣道着や柔道着をもっている。部活動を終わって駅まで歩いて帰る若い人の身体からは湯気がたっていて壮観だった。

そうか、こういう日本もあったのだ、と私は感動した。彦根の学生は昔は彦根経専、滋賀大学とさかのぼると、井伊掃部頭十八万石の藩校につながる。その尚武の気風は健在なのだと感動した。今にノーベル賞も……あり得る。

東京から日本をみていては間違いをおかす。これからは地方からの若い力が日本を代表すると思ったが、そうなる途中のことは古い私には想像がつかなかった。

欧米をこえるとか、和魂洋才とか、追いつけ追いこせの日本人にしみこんだ考えはまだぬけていないが、若い人は自分の内発的な意欲にしたがって、どんどん自分の道を歩いている。

マンガ、アニメ、ゲームの世界はもちろん、スポーツの世界でも日本人は当然のように金メダルをとっている。

この先は……と考えると日常生活や文化の面で日本らしさの自然な発露として世界の人が仰ぎみるような新文化や、気高さや、いさぎよさや、娯楽を創造する時代が見えてくる。

さらにその先は……と考えると日本人一人ひとりが自分の文化をもち、それに誇りをもって、さらなるその開発と創成に感性を磨く時代の到来が考えられる。具体的にいえば、わが家にお客さんを招く文化が他の文化に比して貧弱である。外国人は日本人の家によばれてみたいと心の底から願っているが、それにこたえる日本人は少ない。言いわけは〝家が貧弱だから〟とかいろいろあるが、ホントは日本の伝統文化があまりにも立派だからで、わが家はトテモトテモ、お目にかけられるようなものではないと卑下するからである。

日本人自身、そろそろ自国の伝統文化のすごさについて自覚すべき時が来ている。

日本発の世界常識革命

世界はどこへゆくのか――と考えていると、ふと〝世界観なき世界〟ということばが脳裏(のうり)にうかんだ。

今までわれわれは、「世界観がない……」とはまったく思わずにくらしてきた。世界観なら日本には何千年も昔から各種各様のものがそろっている。世界中の思想や宗教が集っていて、「わが仏尊し」とひしめきあっていたから〝どれでも結局は一緒だろう〟と言えた。天皇が宗派相互の論戦を喜んでいた。

多様化のきわみは単純化で、日の丸の旗がそれかな……白地に赤く日の丸そめて……である。

しかし、世界はまだその前段階にいた。世界各国の国旗の説明的な賑(にぎ)やかさにそれがあらわれている。

オランダ、フランスの三色旗や三本の十字架の合成（イギリス）とか、五十個の星を公平に並べる（アメリカ）とかで、描かされる子供がかわいそうだと日本人は同情してきた。

ま、それはいいとして、トランプのような大づかみな人が大統領に出現すると今まで歴史や思想を重んじてきた人達がまとめて〝バカ〟に見えてくる。「世界観」とか「歴史の真実」とかも実体が不明である。たとえば北朝鮮や中国がすることはみんな〝コケオドシの見かけだおし〟だと分かると気分爽快になるようなものである。間もなくそういう人達の悪あがきはトランプによって一掃される。もしかしたら今がそのときかも知れない。空母カールビンソンが登場し、日本の自衛隊も一緒に訓練するとは画期的である。

力には力の時代がくる。社会科学と称する理屈の世界でこの三百年か四百年間続いてきた考えが一挙に崩れて、いわば社会常識革命の到来があるかも知れない。

白人文明というか白人文化というかは知らないが、ともかく白人がつくったものが立派にみえる時代が終わる。

中国がその後継者になるとは言いにくいから何ややかや世界中の人が参加して総力をあげて新しい世界をつくる時代になる。それは日本人が数千年前に日本をつくったときとよく似ている。

日本列島の地政学的な特徴がそのまま人間集団の特徴に転写されてそれが永続している日本は不思議な国である。

ヨーロッパでもアメリカでも日本でもトランプが登場するまでは理屈で固めた〝ポリティカルコレクトネス〟が大流行だったが、大衆の気持ちは半信半疑だった。その大衆の気持ちをつかんだのがトランプで、つかんでいなかったのがヒラリーである。

ヒラリーは高学歴で金もちで弁舌さわやかで、国務長官を四年もしたから立派な友人にかこまれている。したがって必勝と多くのメディアは解説していたが、そのプラスがみんなマイナス点になるとは、トランプのゲームで四つのマークを揃えると革命が起きるようなものである。

単純な正解は「ヒラリーは嫌われていた」である。同様に「白人は嫌われていた」とか「日本は尊敬されていた」とかはこれからいろいろ出てくる。

なるほどそうかという問題で、言われてみればその通りだが、力とカネと名誉をもった人がいうと大勢は順応する。

アメリカがそうだったが、しかし日本には違う人がたくさんいた。〝王様はハダカだ〟と子供がいえば人々の目がさめたのと同じことがネットの世界からはじまってこれからは世界的規模でおこると思う。

日本発の世界常識革命である。

〈その１〉

世界全体のことを考えている国はどこか。

答、日本──日本だけ。

〈その２〉

世界宗教の中で一番平和で清らかなのはどれか。

答、日本の神道。他はすべて、現世利益を説いている。

〈その3〉

世界各国の神話で一番女性を尊重する国はどこか。

答、日本。

〈その4〉

満員電車で女性が「チカンだ」と言うと全員が女性の味方になって男をつかまえる国はどこか。

答、日本。

こんな話を子供の心になってすれば〝ニッポンファースト〟になりますね、みなさん。

日本製品は「商品」ではない

その著書の中で、「日本に開戦責任はない。ルーズベルトが日本に開戦を強要した」と書いたケント・ギルバート氏とは、以前ときどきテレビで顔を合わせることがあった。

雑談で「日本の洋服は値段が高い。それからアメリカの服には中間色がない」とこぼしておられた。日本の特徴を、価格だけでなく文化の面もあわせて同時につかんでいられるところが、普通のアメリカ人と違っている。

大いに期待して「その中間色にはどんな意味を感じましたか」と聞きたかったが、ギルバート氏は、「テレビに出るようになると衣服がたくさん必要なので、アメリカへ行ったときに買ってくるが、そのため自分の服がド派手になってきた」と話題を転じられた。

その頃の日本人は、ド派手なアメリカに進歩と未来を感じたり、中間色の日本に調和と文化の深味をみたりしていた。

ただ、ギルバート氏は自分のド派手化を一応価格だけで説明しようとしていた。日本の中間色文化をどう考えるべきかについては、当時はまだむつかしかったのかもしれない。

そのとき連想したのは、ニュースキャスターの小池百合子さんが「昔は貧乏で服が買えなくて、下の方は見えないからスカートは一つですませていた」と周囲の笑いを集めていたことである。

当方は男だから、ダークスーツの〝着たきり雀〟でも平気で助かる――と思いながらその話を聞いていたのを覚えている。

その頃アメリカへ行くと、『一日一ドルで暮らせる新婚夫婦のための献立』という本や、ウエストポイントの陸軍士官学校の本屋には『士官学校生徒のためのエチケット』という本があった。

「教官から食事に誘われたときはなるべく安いものを注文せよ。たとえばオムレツなどの卵料理がよい（教官も給料が安いから……）」と書いてあったりして、アメリカ人もそれぞれに苦労しているナと思ったものである。

その頃は外見を人並みか、またはそれ以上に見てもらうのに苦労した時代で、それは階級社会とも呼ばれた。

だが、その後に続いたのは「質素革命」だった。

Ｇパン文化の時代とも言うが、わざと粗末な服をアイロンをかけないで着ることが流行した。

多分、それは貴族が着飾っていたことへの反動だった。それからアメリカがベトナム戦争で負けていたことも原因としてある。

ルイ十四世は着飾ることに午前中一杯かかったというが、その文化がルイ王朝全体に拡がったのはなぜだろう。

贅沢をしてみせることには人を威圧する効果がある。フランスの支配階級にはそれができる富があり、貴族が着飾るために心血を注いで新しい衣服を考えるデザイナーや、仕立屋、それから建築家もいた。

それらをまとめてフランス文化はすばらしいと多くの人は考えた。文化は輸出されて貿易でも防衛でもフランスを支える力になった。文化は産業になり、国富になり、技術進歩の基盤になり、人々のプライドにもなった。

そして、ここが大事なところだが、今はフランスより日本である。日本製品が爆買いされる理由は何だろうか。買ってゆく中国人は言わないし、売っている日本人も言わない。

強いて言えば、日本製品は日本人の心を表しているのだが、それを言う言葉がないのである。

「そんな言葉はなくてもかまわない。売れるのだから……」と日本人は考えている。

「そんな言葉はなくてもかまわない。お土産に配ればみんな喜ぶから……」と中国人は考えている。

この段階に達したものはもう、いわゆる「商品」ではないのではないか。本来、「贈答品」、または「献上品」と呼ばれるべきものなので、それを「商品」と訳しては言葉の誤用になってしまう。

これをよく知っているのは外国の商人で、「日本の二級品を一級品の価格で売っても、どこからも苦情がこない。これが私の商売の秘密です」ともう五十年も前から言っていた。

もう安売りはやめよう。

贈答品か、献上品という分類をつくって、日本のこれからを考えてみよう。そこに未来が見える。

天皇の祈りとともに初日が昇る

どういうわけか、外務省や宮内庁、警察とかに友人がいて、彼らに苦労話を聞かされたので、昔から色々な裏話を耳にした。

友人たちは、人に言えないことを私のような風来坊に話して、理解や同情を得てホッと一安心していた。ただし「口外するな」と言うので、私はもの言わぬは腹ふくるるといわれるように、だんだんお腹が出て体重が増えてきた。

で、何かに書きたくなるのだが、幸か不幸か、友人たちもだんだん高齢者になるので、あまり面白いことを聞けなくなった。

しかし、質問すると話してくれるので、今度は、新聞記者はちゃんと質問しているのか、の方が心配になってきた。

「新聞記者は選挙が大好きだ。公正中立を旨とすると何も書けないから、書かずに遊べる選挙のときがよい」といわれたものだが、近頃の〝土砂災害〟も書かずに遊べる。

悪いのは自然だから犯人探しは不要で、官庁の発表だけで紙面が埋められるというわけだが、ホントの犯人は地元の人なら知っている。

山林地主が山の手入れをしないから地滑り↓土砂崩落↓材木が川の流れを止める↓橋を壊す↓堤防を壊す……となる。

が、山林地主は地元の有力者だから、それは書けない――とはラクでよい。でも、毎日同じような記事を読まされると、むしろマスコミの報道姿勢が気になってくる。

たとえば近頃、皇室報道が少ないのは不思議である。解説も評論もないが、果たしてそれでいいのか。憲法に従っているだけで、これからどんな皇室になるのか、それで日本はよいのか。誰も自分のことではない、として逃げている。

これも結局は安倍首相に丸投げなのだ。安倍首相は皇室会議の議長だから、皇室の経済を一手に握った「独裁者」になる。が、それならぜひお願いしたいことがある。

皇室をもう少し裕福にしてさしあげて欲しい。予算倍増でも、国民は当然のことと思うだろう。

友人が宮内庁の高官になったとき、それを言うと「天皇が質素を旨としてそれを守っていられるから、御許しがでない……」という返事だった。しかし「質素を通り越している」と私は今も思っている。

国民の皆様はどうお考えだろうか。

あまり貧乏ではお嫁さんがこなくなる、とは誰でもわかる話だと思う。

天皇は「プリースト・キング」と呼ばれ、お祈りするのが仕事だというが、お祈りする相手は天照大神（あまてらすおおみかみ）にさかのぼる天皇の祖先の霊だ。

大晦日の深夜、宮中三殿の賢所（かしこどころ）の前で、天皇はその年一年間にあった災厄をひとつひとつ報告したうえで〝これらはすべて私の不徳の至すところでありますからどうか国民にあたらないでいただきたい。私をお叱り下さい〟と祈るのが大事な務めだという。

その祈りが聞き届けられると、天照大神の怒りがとけて新年の朝日がのぼってくる——大江匡房（おおえのまさふさ）は「江家次第（ごうけしだい）」にそう書いている。それで国民はお互いに「あけましておめでとう」と言うのである。去年のことは忘れてしっかりやろう、である。

天の岩戸から天照大神が顔を出したら天地が明るくなった、という神話が今も生きている日本にはアッと驚く。それが天皇の大事な仕事だというのも私は知らなかった。

アラブの人に〝許して水に流す〟という教えはないのか、と尋ねると、「砂漠の川は流れて砂に消えるが、浮遊物は砂上に残っていつまでも消えない」と返された。

これでは、日本が仲介して仲直りさせるなど、夢のまた夢らしい。

台湾の人は、「日本人の一番良かったのは、アッサリしていたこと」と言う。「中国人はしつこいからね」ともつけ加えた。

浅利慶太（あさりけいた）氏は、芸能界の大御所に名前をつけて貰う約束だったがなかなかつけてくれないとボヤいた。相手は「もう名前はもらっているじゃないか」というのでアッサリケーッタそうだ。

日本も南北朝鮮、アメリカ、中国などの問題からアッサリ手を引くとよい。このままだと、金をとられるだけだ。

〝日本ルール〟を提案せよ

安倍首相が総裁選に二度目の立候補をしたとき、三宅久之氏ほか三十名が応援と支持の声明を出した。

その後、新聞社の人が安倍支持の理由や当選の見込みを聞きにきた。「あなた方は全員東大か早稲田の卒業でしょう」と尋ねると、「そうだ」と答える。「竹下登氏以降、それらの大学を卒業した首相はいないんですよ」と言ったが、それがどうしたという顔をされる。

時代の空気がすっかり変わっているという話の枕のつもりだったが、それは感じていないらしかった。時代の風が世界中で一変していることに鈍感な人たちである。

そこで、「では、一度成蹊大学（安倍首相の母校）に行って二時間くらいキャンパスの中を散歩していらっしゃい。それから安倍氏が首相になったら大活躍されるだろうという予測をします」と言ったが、見学に行こうとする人はいなかった。これじゃダメだと思ったが、理由は次のとおりである。

①成蹊大へゆくと大芝生があり、その中央に小さな銅像が立っていて、「教え子がこれを建てた」と書いてある。

②東大へゆくと安田講堂の前に巨大な銅像があって、その人が文部省その他から

もらった名誉がたくさん書いてある（しかし誰もみていない）。
③東大の掲示板には、成蹊大と同じ頃に設立された大学とのリーグ戦の予告や結果がたくさん出ている。
④東大では、学生が国家試験の勉強をしている（自分の興味はさておき）。早稲田も国家試験の合格者数では東大に負けていないが、それが「建学の精神」なのかどうか。

国立大学と私立大学の異同についての話はいろいろあって面白いが、もっと大事なことがある。それは国際舞台での日本の活躍をつくりあげてゆく力の問題である。その力のなかには、外国がつくりあげたルールのなかで頑張るのか、それともルールづくりの提案で世界をリードするのかの二つが含まれる。

この違いが分かっている人かどうかという視点で日本国の首相をみる時代はいつくるのか。日本のマスコミにはまだ手が届かないらしい。

三井造船の山下勇社長は、こう嘆いていた。

「ヨーロッパ諸国から工業製品の国際標準規格づくりについて相談したい」と申し入れがあっても、わが社の技術陣は返事しない。社長の私が心配して聞いて歩くと、「社長、大丈夫ですよ。我々は各国が何かをきめたらすぐにキャッチ・アップして追い越してみせます」で終わりになる。そのころは追い越す自信が〝自慢〟だった。

「青い柔道着を着させられて戦うようなものですね」と言ったが返事がない。日本が育ててきたスポーツなのに日本からの理事はいないし、いても黙っている。未熟な審判が誤審しても抗議しない！　いや、できないのが役員に入っているとは戦う選手が気の毒である。

ルールを外国人に決められているので、日本選手は講道館柔道と国際柔道の両方を練習しなくてはいけない。が、それはおかしい。本家なのだから、何か柔道の根本精神を明確にして日本の主張をすべきで、それが不採用なら参加しなくてもよい。

となれば、日本選手権か講道館杯か嘉納治五郎（かのうじごろう）記念カップかの創設費を出して日本ルールで開催するとよい。各国選手は本場の日本へ行く方を選ぶと思う。青色の柔道着がなくなってくれるだけでも気持ちがよい。

嘉納治五郎が説いた柔道の精神は「精力善用」と「自他共栄」でとても分かりやすいから、今年（二〇一九年）開催される主要二十カ国会議（G20）の精神として安倍議長が提起してもおかしくはない。

ルールを提案して採用させる力をもっている人は〝ルーラー〟と呼ばれる。翻訳すれば「統治者」である。日本もルールを守る国から、良いルールを考えて世界に広める力をもった国にならねばならない。

イソップ物語に出てくる話だが、ライオンにつかまったネズミが新契約を提案する。

〝我を許せ。他日、我、汝を助けん〟

で、その通りにネズミは縄をかじってライオンを助けた。今年は日本の力で帝国主義四百年から自他共栄の年になると思う。

勝ち敗けの予測より大義と名誉

台湾の李登輝さんが産経新聞に連載なさっているのを読んでいると、日本人である自分が恥ずかしくなる。

日本人は台湾をこのまま傍観していてよいのか、ということだ。

そのわけを書いてみよう。以下は二人きりのとき、李登輝さんがした話である。

副総統になってすぐ前総統の蔣経国氏が亡くなったので、国民党は後継者争いで四分五裂になると予想された。

国民党の規約では副総統が後を継ぐことになっていたが、そんなことをまともに守る人がいるとは思えないから、反対者が多数で乗り込んできたら殺されると思いながら棺（ひつぎ）の前に座っていた。

ここが一番安全と思いながら頑張っていたが、挨拶にくる人もなく、一夜明けても情勢は変わらない。目の前にあるのは、ドライ・アイス入りの蔣経国の棺だけだった。

一夜明けて、少しずつ挨拶にくる人があり人心地がついたが、もちろんもう安全ということはない。

私はお話を黙って聞いていた。何も言えない。話は中国国民党の後継者争いで、李登輝さんは「自分は生まれたときは台湾人で、それから日本人になって……」と話す人である。

一〇〇％の日本人として私に聞いてほしかったのだろうが、私は単なる台湾の理解者なのか、それとも日本人の代表なのかと思った。日本人全体が意外に頼りないので、私一人では代表できない。で、自分一人の心と覚悟だけで聞いていた。

たとえば李登輝さんが京都大学の思い出を話されるなかで、「自分は京都大学の卒業生の名簿に入っていないのだ」と話されたときは当時の無念さを思い出されているようにみえた。

戦後になってから李登輝さんが大学に問い合わせると、大学長の返事は単に「卒業していないから卒業生名簿にない」だったという。が、学徒動員で陸軍に入り高射砲隊にいたときに終戦だから、〝卒業生でない〟というだけでは当時の事情がポッカリとぬけている。

そのときは日本人だった人に言えることではない。

私が京大の学生なら当時の常識と京都大学の関係について説明をつけるよう要求する。それから「腰ぬけ京大」と書く。

話をもとに戻す。

「何日かがすぎて人心が安定し、私を新総統とみとめて威令が行なわれるようになったとき、私は中国の習慣にしたがって反対派を投獄したり処刑したりできたが、しなかった。

それは私が日本の教育を受けたからで、反対派を処刑した方が、早く台湾の民主化も自由化もできたと思う。が、それをしなかったので台湾の現代化には長い時間がかかってしまった。それは私は日本人だったからだ……」

というところで一段落となる。つぎは日本人が発言しなくてはならない。

誰か、私の他に発言する人はいませんか……いませんね。

日本人は答えをみんな分かっているつもりだが、ホントは分かっていない。たとえば台湾から兵を引き揚げるにあたって日本は七十年間台湾に投資した分を返せと言わないからいいだろうと思ってるが、それは古い考えだ。

日華平和条約をもう一度よく読んでほしい。台湾のことは台湾にまかせると書いてあるだけだから、独立した台湾が日本に何かを頼んできたら承知してもよい。日本国はいつも中立の顔をしているが、台湾の人は米中対立については形勢観望からトランプ依存へ変わった。

トランプ大統領の方が強いと分かったからだろう。日本も勝ちそうな方につくのだと考えるとすれば、それは今の日本の実力をみていない古い考えといえる。

ハンス・モーゲンソーは名誉ある同盟国と不名誉な同盟国の二種類があると言っているが、それは〝味方につけば必ず勝つ国と勝敗に関係がなく右往左往するだけの国の二種類だ〟ということだ。

必ず勝つ国にとって、勝敗の予測は不要で大義と名誉が大事だ。日本はもうその国になっているのに……。

李登輝さんとトランプと習近平と安倍首相はそう思っているが、日本国民は分かっていない。

それから、習近平は自分が負けると知っている。

ラグビー日本代表チームが教えてくれたこと

日本が味方についた方が必ず勝つ世界になったと感じているが、もうひとつ書き添えると、それを世界が感じとっているという点が重要だ。大阪G20サミットで、世界は四百年に一度の転換をしたと思う。それを分かりやすくいうと、昔の先進国首脳会議の幕間はイギリス人を囲んで各国の首脳たちが輪をつくったが、今回からはそれがアメリカ人と日本人に代わったということだ。一足飛びの結論のようだが、日が経つにつれてだんだんと世界の常識になるだろう。

その理由と展望を書く。

①直面する問題としては、トランプ大統領には間もなく民主党と大統領の座を争う選挙があり、本人にとっても日本にとっても最重要だが、そのために日米関係はときどき二の次になる。
②そのとき日本は世界新秩序を提案し、アメリカに先んじて実行することが最重要だ。
③それが日本にできるかどうかを、今は世界が心配している。
④というとき、ラグビーで隣にどんどんパスをする日本選手を世界はみた。失敗を恐れず個人の判断でパスをしているので、相手は驚いている。驚いているあいだに日本が勝つ。不意をついて成功している様子がよく分かる。
　こんな風にチームプレーでパスをすれば点が取れるのに、ナゼ今までやらなかったのかは日本人である私にはよく分かる。多分、遠慮深く紳士的にプレーしていたのである。

　そんなことに構わずどんどんやれば、何でもできる日本と日本人なのに……と昔から感じていたが、それが日本人全部にも分かってきたと今はたいへん喜んでいる。次は世界が分かる番である。

⑤しかし、遠慮深く紳士的な日本人はまだたくさんいる。どれほど実績を積み上げてみせても、その人たちはなかなか変わらない。

⑥その人たちは日本独特の〝心のもち方〟の世界に逃げこんでいるから、その人たちには「世界は日本をどうみているか」を先に言わないといけない。で、その話をまずいくつか書いてみよう。

日本人の考え方は、自分がどうあるべきかについて周りが自然に分かって納得し、自分に新しい場所を提供してくれるのを待つ、という考え方である。

だから昔は、人事の略歴を書くときは○○年○月、△△に推さる——と書いた。自分から売りこんでなるのは浅ましいのである。が、それでは時間がかかる。

アメリカ式では、たくさんの人の推挙を集めるにはそれなりの給与や待遇を用意するが、それを考えるのが面倒なときは本人から言ってくれればよいと考える。もしくは待遇は先決で募集する。

時代が変わり人の考えが変わるときは、なかなか適材適所を実現することが難しい。

アメリカでも国をつくったはいいが、国王探しに困ったことがある。あきらめてその次は大統領探しをしたが、その条件交渉が面白い。

ある大統領候補は料理人を三人つけるよう要求して頑張ったらしい。中国では共産党の要人については終身待遇として①三ヶ所に別宅を用意する、②病院も三ヶ所、③料理人も三人を保証すること、などが明記されていた。

贅沢を言っているのか、それとも身の安全を考えているのかを考えたが、そもそもこんなことを党の規約に書けと要求するようではあまり安全ではないらしい。

いっそ日本へ海外移住すれば……と考えると、今の日本人はすでに安全で安心な生活を満喫していることに気がついた。だから日本へ旅行客が来るとも言えるし、それは移住のための下調べではないかとも考えられる。

とすれば、ヨーロッパの難民問題は他人ごとではないと思えてくる。

ヨーロッパのどこかの国の憲法では、国防軍の災害出動は厳禁――そのときを狙って外国軍が侵略してくるかもしれない……と書いてあるらしい。

自衛隊の災害出動に感謝しているだけの日本は常識外れの国なのかと考えると、難民問題は根が深いと分かる。

昔、台湾が本土から難民が船でくるのは全部撃沈すると宣言したことがあった。ちょうど大平（正芳。元総理）さんと二人だったので、日本もすぐ同じ宣言をしましょうと提案したが駄目だった。しておくだけでもよかったのに、と残念である。

第2章

教育と国内問題の新常識

いじめに対する自主防衛教育を

昔々、日曜日の朝のテレビ番組に竹村健一氏からときどきよばれたが、あるときいじめが話題になって、学校が悪い、父母が悪い、先生が悪い、と意見はいろいろ出たが、いずれも本当の解決にならないことを有識者たちが言うので、私の番がまわってきたときは思い切ってホントのことを言った。

誰がイジメの張本人かは、イジメられた子供が一番よく知っている。しかし味方がいないのでさらなる孤立を恐れておとなしくしている。

そんな子供がクラスに二人いた。一人は転校生でもう一人は虚弱児だったが、その虚弱児が突然立ち上って「肥後の守（ひごのかみ）」というナイフをもって抵抗した。その勢いに驚いてイジメッ子は走って逃げ、まわりは中立で善良な少年のポーズをとった。

一瞬のことだったが、それでもクラスの空気はすっかり変って、その後、卒業までもとにもどらなかった。

それを思い出したので、この問題の解決には、

①先生が断固として介入すること。
②教員室にナイフを常備し、反撃を決意した子供には貸出しをすること。
③先生が事件の経緯については証人に立つことなどをするとよい。

と答えるとみんなはのけぞってしまって何にも言わない。自主解決の考えは消えているのである。

それでは暴力少年に対して〝学校は無力〟と宣言して手をひく……のかと聞くと、それにも返事がなかった。

いじめる子供は力が強く、その上、父親が地元の有力者であることはみんなが知っていた。

　アメリカのテレビをみるとこの問題についてピストルの持ちこみはもちろん禁止だが、特別の教師数人にはピストルを持たせている例が紹介されていた。暴力には暴力しかないと考える学校の出現である。ピストルを持つ先生が誰かは身の安全を守るため秘密である。

④実際的な解決を考えるとこうなるのは分るが、アメリカの学校も苦労しているなと思った（理想と現実）。

⑤日本の学校では危険な子供は転校させていた。そのときは加害者でも被害者でもどちらでもよい――とは根本が事なかれ主義だからである。

⑥アメリカには裁判所から軽い刑として学校に送りこまれてくる生徒がいた。

　州には軍隊があるので鬼軍曹の天下りが学校へきた。そんな学校は団体をつくって〝近頃は生徒の数が不足しているから、もう少したくさんたのむ〟と陳情していた。悪童扱いの名人らしくて、学校が喜んで受け入れると父母も喜んだ。

心技体そろっての再教育は効果満点らしく再就職にもよかった。

非行少年教育にはこれがよいと喜んだかどうかは知らないが、再就職のためには何か資格をとれ、というと子供もよく勉強した。

アメリカには文科省がなくて教育は地元がすることになっているので、こんなことが各種行われていた。地方の教育委員会が強力だというのもある。

いじめにあうと日本の男の子は無抵抗で相手に従って結局は自殺だか、他殺だか分らない状況におちいるが、多分学校についている専門家が無抵抗が一番と教えているからだろう。

問題から逃げているのは学校の先生で、それが子供にも分るから転校生や虚弱児童は孤立無援から絶望の心境に追いこまれるのである。戦争中の日本で軍国主義教育が小学校にも及んで柔剣道が全校に正課として入ってきたのは虚弱児には大きな救いだった。当時は「護身術」とも言った。

そういえばアラブでは男の子の成人式には偃月刀（中近東に見られる、わずかに曲がった細身の片刃刀）が一本おくられて親類が集って、お前も今日から一人前だと祝うらしい。ただし〝これをぬくときは必ず相手を殺せ〟と教えるところがすごい。

自主防衛精神の教育である。アメリカも無人兵器の研究ばかりしているとこの気合がぬける。

戦争ゲームにも戦う気合をつけるようなのはないか。

関東と関西で異なる「公共事業」

古い話だが、美濃部亮吉氏が都知事になったとき「住民が一人でも反対するなら都は橋をかけない。都民は泳いでわたれ」と言った。

「変なことを言う人だな、それでは公共団体の自殺ではないか」と思ったが、朝日新聞は大いに賛成したので、多くの人はそれが民主主義なのか、それが革新的なのか、それが学者なのかと感心して票を入れた。

その結果、東京の公共事業はあちらでもこちらでも中止されて、環状七号線の工事は長く放置された。

それなら都の財政は黒字になったのか、と思うと、そんなことはなく大赤字つづきとは、さらに不思議だった。

新聞をひろげると「東京都の財政は伏魔殿（ふくまでん）」と書いてあったが、その状況を書く新聞はなかったので、これも不思議だった。結局、でき上がったのは味の素スタジアムなど、スポーツとイベントの会場である。

そこで役人と政治家はハコモノが大好きという声が上がった。でき上がったものの有効利用を考えるより「つくること」でもうけたり、有名になったりする方が好きらしいと都民は分ったが、それは大分手おくれになってからで、そのあと始末には東京へオリンピックを呼ぼうという話になった。その経済効果で、失敗は消してしまおうとはバカバカしいと思うが、ホントにバカバカしい目にあったのは一体誰だろう。

美濃部知事？　それとも朝日新聞？　チェックをしなかった東京都民？　東京

都の公務員？　学者？　評論家？　研究費をもらってもっとやれ!!　のレポートを書いたシンクタンク？　それから末長く税金や料金をはらう都民？

まだ他にもいる。

たとえばわたし。

東京のルネッサンスを考える会の委員にされたので、いろいろ考えて、いろいろ意見を言ったがほとんど不採用になった。

もちろん不採用になるのは承知の上だからかまわないが、近頃、小池百合子さんや石原慎太郎さんが苦労なさっているのをみると、こんな発言をしたことを思い出す。

その①　都知事が美濃部氏から鈴木俊一氏にかわると、たちまち五千億円か六千億円の貯金ができたのは鈴木知事の大功績である。

その②　これを無駄にしないために思いついたことだが、江戸時代の町奉行は一カ月ごとの交替制になっていた。北町奉行と南町奉行だが、休みのときは新政策の投書をうけとって吟味していた。町人は信用できる人が奉行のときを狙って投書した。これをやるとよい。

その③　ハコモノは公有民営にして名称の賃貸料をとるとよい（これは味の素スタジアムで実現した）。

その④　公共事業とは何か、をこの際、徹底的に吟味する必要がある。役所のすることは全部公共事業とは言えない。公務員がすることは全部公共事業とも言えない。法律に書けばよいというものでもない。

「公共事業」とは明治時代の民法に一行だけ書いてあるらしいが、官庁は縄張りを広げたいので、「これしか根拠がない」とは言わないで自分がやりたいと思ったことはどんどんやっている。

官民談合の世界が深く広く存在しているから、これでもよいのかも知れないし、民間もそれを歓迎している。

その⑤　公共事業のあり方については関東と関西では考え方がちがう。関東は官尊民卑が強いが関西は民間主導的である。その理由はよく分らないが、分らなくてもよいと関西人は考えている。

その⑥　こうした地域差の問題がこれからは大事である。関東と関西のちがいはヒラリーとトランプのちがいに似ているから、アメリカでトランプ優勢のときは関西人をたてる。ヒラリー陣営が復活してきたときは、日本も関東人に手勢をいれかえるとよい。これは日米交渉に関する新しい視点である。

もっともヒラリー陣営のことを、この頃は「エスタブリッシュメント」と呼ぶらしい。

既成勢力の意味らしいが、アメリカには新しい名称で登場する古い勢力があるから、日本のメディアもたえず勉強が必要である。

ベトナム戦争の頃、戦地から帰還してくるアメリカ兵向けに〝今、流行の英語〟という本がたくさん売れたのと同じである。

日本の本屋さんも「トランプ語辞典」を出せばよい。著者は関西人にすると分かりやすいのができる。

教育の権利は誰にある

トランプが登場して困っている人は、何でもむつかしそうに話せばよいと思っていた人だろう。

だがトランプは簡単明瞭に話す。結論から話す。反対派は、世の中はそんなに簡単には動かないと思っていたが、いつの間にか自分達の方が置きざりにされていると感じてあわてている。

「最初の百日」と区切って仕事の成果を採点しようとする向きもあったが、トランプは「そう簡単に百日でできるとは言ってない」とすましている。

そして部下には軍人を登用した。言うことを聞くからである。アメリカの大統領は世界最大の軍事力を動かせるから万事簡単だと思ったが、そこには誤算があった。民主主義下の大統領は民間企業の社長より権力がない。法律や国会やメディアなどに前後左右を縛られている。

トランプもようやくそれに気がついたらしい。相手の損得を考え、名誉にも配慮しなくてはできないことだらけだと気がついたのである。

その点安倍首相は党務が長い。官房長官とか、幹事長とか、秘書とか裏方の仕事が長いから権力の裏側は分かっている。カネのことも分かっているが、それだけではないことも分かっている。

多分、この辺がトランプ大統領とお互いに助けあう関係を作ったはじまりではないかと想像する。

助けあい、分かりあう関係は一瞬の裡にできるものである。できない人にはできないが、できる人にはできる。しかしメディアは、そんな直観力の産物では他に転売できないのでむつかしく考えた結果のように話す（ゴクローサマ）。だがしかしこれは日本的ではない。

日本には「以心伝心」という言葉があるのになぜ、こんな便利な言葉を使わないのか不思議に思っていたところ、近頃は若い人の一部がさかんに使うようになった。使わない人は脱落中。

例を挙げてみよう。

教育は文科省のものと思っている人がいるが、そんなことはない。もともとは上級生がするものである。江戸時代の寺小舎がそうだった。

年上の子供が下級生に教えていた。その方がよいことがたくさんある。今は文科省の学校が一〇〇%なのでその良さを知らない人ばかりになった。つまり文科省の先生が教育を独占しているが、何事も独占はよくない。

年齢別クラス分けや、授業分けが徹底しすぎている。上級生による教育、ご近所の人による教育、お年寄りによる教育などいろいろあった方がよい。こうなった原因の一つには長い間小学校の新設を妨害したことがある。文科省は国家による学費補助とか教育の金しばりに熱心だが、それはよくない。スクールバスを市中巡回バスにして地域と共になることを考えてはどうか。バスが地域の公共事業の柱になるようにした方がよい。

ヒラリーは財団をつくって、教育事業拡大のため外国から資金も集めたが、それらはヒラリー一家の資金源になったらしい。今後その活動はどうなるのか。

教育は「国家事業」なのか「地元の事業」なのか「親の事業」なのかそれとも「本人の事業」なのかをめぐってこれからアメリカでは一騒動が予想される。トランプ大統領がかかげる〝アメリカ・ファーストの正体〟が子供の教育に問いかけてくる問題は大きい。

単なる子供の学費負担や親の所得格差の問題ではない大きな亀裂の存在が明るみに出てくると思う。

そもそもの話からすると、ドイツのフリードリヒ大王は強いドイツをつくるため「子供の教育権」は国家にある、とした。それが義務教育制度のはじまりだが、はじめは親が反対した。子供の教育は「親の権利である（楽しみでもある）」と反対したが、やがて無料ならぜひ〝タノム〟になる。

教育内容がどんどん高度化して、親はついていけなくなったのである。そこでやってきたのは〝専門学校〟で、さらには「国立大学ブーム」だった。

それはよいが、子供が本来もっている学習権と私学の独立精神に対する配慮という問題が残った。

その後、アメリカでは「子供にも学習権がある」となり教育は地方自治の問題とされた。だからアメリカには文部省がない。地方地方に教育委員会がある。日本には両方がある。教育熱心なのはよいが「子供の学習権」がないという問題がのこった。

民主主義の根本が揺らいでいると思う。

現憲法を廃止すれば十七条憲法が復活する

憲法廃止について書いてみよう。改正ではなく、廃止である。それが日本に一番マッチしていると思うが、そう考える第一の理由は、なくても困らないからで、第二の理由は、なまじ憲法があるためにいろいろな憲法論が登場するからである。

理由の第三は、イギリスなど、憲法を一つの成典にしていない国があるからだ。

それにもかかわらず、それを今の日本と比較する人が二人しかいない。いや、一人はすでに亡くなられたから、今は私だけかもしれない。

まず、それを書いてみよう。

故・渡部昇一（わたなべしょういち）上智大学名誉教授がスコットランドで家を借りたとき、家主のユダヤ人と契約でもめて裁判所へ出頭したが、判事が一人いるだけだった。家主と渡部先生の双方の主張を聞き終えた判事は、即断・即決で〝渡部先生の勝ち〟と認め、それで何もかも終りだったという話である。

私の想像を書くと、

〝判事の仕事は「法の適用」だというが、その法はローマ法に起源があり、それをケルト人やゲルマン人や日本人の生活や習慣にあてはめて判決を書くのが仕事だ〟

ナルホド、父の本棚にはそんな本がいくつかあった。が、そんなことでケルト人（フランス人）やゲルマン人（ドイツ人）が納得するはずはない。イギリスなど遠隔地にゆくと、判事の仕事は〝法の発見〟か〝法の創造〟になっていたらしい。

それなら早いはずである。自分達の常識のままに決めれば良い。

「なのに日本の裁判はどうしてこんなに時間がかかるのか」と父に訊くと、

「日本はそれに加え〝条約改正〟というのがあってね。何はともあれ、日本の法律はこれにするというのをまず諸外国にみせて了解を得て、それから日本人からも了解が得られるように日本語で法律を書いた。でも、そこに矛盾ができた」

「どんな?」

「外国は……特にナポレオンがつくった民法は、男尊女卑だから日本の実情には合わない。そこで日本の判事は苦労する。日本の実情は女尊男卑だからね」

オヤオヤ、である。戦後われわれが習った新憲法や新民法は民主主義と男女同権だったのでは……と質問しかけたが、私はやめた。

質問をやめた理由は二つあった。ひとつは新憲法の守護神である宮沢俊義（みやざわとしよし）東大教授の評判が悪く、その人が父と同級生だったこと。もうひとつは、私の縁談に反対する父親を新憲法の中の一句〝婚姻は両性の合意のみに基いて成立〟で押し切ろうとひそかに思っていたからである。

が、それをすると理屈屋の親不孝者になるから、話し合いでの解決を希望していた。だから親には「もう決めたことで先方にもそう話してあるから、いまさら破談にしては相手に悪い」としか言わなかった。

それから日本経済の高度成長がはじまって、住宅事情が少しずつよくなっていたから親からの独立も近いように思えたこともある。

これらを総合すると廃憲論になるとは驚きだが、まあそれを書いてみよう。

まず、新憲法を解説して日本は昔から男尊女卑だったというのがおかしい。ヨーロッパも中国も付き合ってみれば分かるが、その奥には恐るべき男尊女卑の階級社会がある。外国は貴族社会で、貴族は征服王朝に起源があるからもちろん男尊女卑である。それに対して、日本の現実はどう考えても女尊男卑だ。男尊女卑は下級武士の世界のことで、その人達が明治維新を主導したから日本の司法の世界は男尊女卑になっていた。

これが庶民の現状認識で、実際に裁判を仕事にしていた父はとても民法どおりに判決は書けないと言っていた。しかし高度経済成長中の日本は、介護や福祉の予算を増やして男女同権の問題を乗りきった。

ちなみに、予算といえば、外国はどこの国でも国防予算がＧＤＰの二％近くあるのに、日本は一％しかない。これは〝平和日本〟の幸福でもあるから、このまま続けたいというのはもはや無理難題だと思う。

まあ、男女のことは分らないことにして、日本で現憲法と明治の帝国憲法を廃止すれば、実は聖徳太子の十七条憲法が復活すると思う。まだ廃止されていないからである。〝和を以て貴しとなす〟なんて「世界憲法」にしたいくらいだ。

働いているのは安倍首相だけ

ある人が首相になってしばらく経った頃、こんなことを言った。

「首相にとって一番ありがたいのは大蔵省で、一番腹が立つのも大蔵省。何をやるにもまずは閣議決定が必要だが、そのためには前日に開かれる次官会議を通さなくてはならない。各省次官が集まるとなかなか一本化しないが、大蔵省にはそれを調整する力がある」

予算を持っているから……と言うが、ホントは微調整の力である。そもそも、各省の要望が大局的でないのが問題で、大蔵省的な「微調整力」に振り回されていたのが悪い。

なぜ振り回されたのか。

第一に、その頃各省はＧＨＱが相手では英語に自信がない。

第二に、日本のために自らの省が交渉を引き受けよう、という気概がない。大蔵省が引き受けたのには、ＧＨＱの要求は国家財政や国有財産に関するものが多かったから、自然にそうなったという説もある。

第三に、各省はＧＨＱと大蔵省の接近を喜んで傍観した。それは仕事の取り合いでも押しつけ合いでもなく、逃げ回ったのでもない。顔を見合わせて誰かが音頭をとるのを、ただただ待っていたのである。

微調整力はそんなときに使われる。「ＡかＢの好きな方を選べ」とか、「今年はダメでも来年なら約束する」とか、色々な場合を含んで出来上がる慣習だ。で、首相はどうしても大蔵省と相談することになる。つまり、大蔵省が各省の一段上に立つことになる理由があるわけではなく、何となくそんな空気が醸成されていた。

そもそも、官と政の争いは明治維新以来いまだに続いている。そこで最も大事なことは、仕事から逃げるか、それとも進んで引き受けるかということだ。この問題は、今も昔も〝国家の根本を考える精神とやる気〟の問題である。

現在、やる気があるのは安倍首相一人だけで、他はすべて自分の利益を考えていると思えばよく分かる。自分の利益の中でも最も大きいものはテレビ映りで、第二は自分のミスの書き換えである。

どちらも首相の仕事とは思えない。野党とマスコミが火をつけただけである。

以上はあまりにも根本的な話なので、一寸だけ書き足しておこう。

そもそも、マッカーサーがやってきた頃の日本は、まだカネよりモノの時代だった。だから、工場や鉱山を持っている会社が就職先として人気が高かった。残業すると社員食堂で夕食が出るとか、防寒衣料が配給されるとかだったので、その方がよっぽどありがたかった。

丸の内や霞が関に勤務するサラリーマンが軍服ではなく背広を着るようになったのは、昭和二十七年から二十八年頃だった。本省のビルを米軍にとられ、四谷の小学校の校舎の中に入っていた大蔵省は昔日の威光がなかった。ただその一方で、新しい日本が芽を出し始めていたのだ。

そんな時代の話である。

大蔵省や日銀、その他金融機関にようやく春が来て、ドッジ・ラインの財政金融引締政策で、ほんの一年か二年の間にカネの時代がやってきた。池田勇人が国会で「貧乏人は麦を食え」と断言したのが始まりである。

戦争が終わったとき、アメリカは占領行政を、

①間接統治とし、
②最強の敵となる内務省を解体し、
③陸軍省と海軍省を残務整理機関にした。

そこで、占領行政の各論はマッカーサーから直接各省に伝えられることになっ

たが、各省は逃げた。自然に大蔵省が、内務省を引き継ぐ形になったが、バラマキでインフレになった。

だが、赤字財政でも構わない時代がやってきて、

①野党もマスコミも政治にたかったり、叩いたりし始めた。

②与党も景気回復が第一だと考えて赤字財政は問題外にした。

③政権をとった野党も、バラマキ以外に考えがなかった。

④財務省は接待づけで堕落した。

⑤国民も麦を食わずに福祉を要求し、それを得た。

働いているのは首相だけ。

⑥間もなく、防衛費が今の五倍くらいの日本になる。

誰か、賭けませんか。

時を逃さず登場する人材

これからだんだん寒くなる。今朝もJRの中央線に遅れが出た。

どこのポイントが凍結したのかと考えると、三十年も前に国鉄の人とこんな話をしたことを思い出す。

私の質問は「回復に三十分もかかるのはなぜか」なのだが、それより早く、

「多分、八王子の○○番ポイントの凍結です。冬の風が当たるのです」

と、新宿にある運行司令室の人が返事した。

「どうしてそんなに詳しいのか」と尋ねると、

「ときどきは現場へも行くから、寒い朝は自然に八王子が目に浮かびます。国鉄の新規採用組は顔なじみなので、直接話をすることもできます。今は現場が強くなって、こんなエリート同士の連絡はありません。現場からの報告を待って対処するから遅くなります」

続いて、某私鉄でアルバイトをしている学生から聞いた話を思い出した。最終駅で寝こんでいる客を起こして歩くアルバイトだが、それだけではないらしい。「飛び込み自殺が多い所では、あらかじめ運転席にバケツと火ばさみが常備してあって、手足を拾って集めることもあります」と言う。またまたエーッと驚いていると、

「それでも三十分も遅れることはありません。事故処理で一番時間がかかるのは警察関係ですが、日頃から挨拶をしておけば二十分以下で済ませてもらえます。JRは下手なんです……」

とはよくわかる話である。わかりすぎて返事に困ってしまうくらいである。

現場には現場の〝臨機応変力〟があるという話は、日本陸軍にもたくさんあった。「将校さんは見なかったことにして下さい。下でうまくやります」とか言って、何万人もの大軍が、結局作戦目的を達して無事帰還したというようなものだ。この話は、日本軍は上が無能でも下が臨機応変だった。しかるに今は……と続く。

問題は、この〝現場力〟は今も健在かどうかだ。ところが、それがどうもあや

しい。

アメリカから細かいマニュアルブックが入って、「このとおりにやれ」と言われると現場力が殺される。

その結果、お客としても一番よくわかるのは「運転再開」に時間がかかることである。しかも、その間三十分経っても何の放送もない。「再開見込」の時間も教えてくれない。

どうやら「責任最小主義」という風が吹いているらしい。それから、メンドーなことの「第一発見者にはならない用心」というのもある。前後左右の人にうまく説明して、いち早く自分は現場から逃げ出すという現場力もある。

こちらもそれを逆手に取って、「あとは下で何とかしますから、課長は課長会へどうぞ」と送り出したりしたものだが、今はどうなっているのだろうか。「何もかもマニュアル通りの時代になるから、〝書いてないことはやらない〟になる」というと、「日本のお客は賢いからね。なるべく情報を与えないことが第一です」と教えてくれる人がいた。

そのわけを尋ねると、「昔、大阪で電車を一寸停めたところ、乗客が勝手に非常ドアをあけて線路に降りて歩きだしたので、その人達の安全確保に必死だった」と教えてくれる人がいた。それは大阪の話で、東京なら、お客はもっと大人しいのに……と思いながら聞いた。

結局は、現実とマニュアルの板ばさみで運行再開まで時間がかかることで、お客が困る。だが、JRも板ばさみで困る。方々が困ることになると、決断力と現実的な非常手段に価値が生じ、それがホメラレルようになる。その辺を心得てうまくやる人がいて感心したり、半ばあきれたりした新入社員の頃が思い出される。

事態がだんだん悪化してゆくが、まだ原因がよくわからないときは黙ってみている方がよいということがある。責任者も、明々白々になるまでは口出ししない方が身のためである。ただし、傍観がすぎれば〝手遅れ〟になる。たくさんの会社がそうなって消えた。

早すぎず、遅すぎず、しかし原因は見えてきた――その時を逃さず摑んで登場する人――といえば、安倍首相が一番に思い出される。アメリカではトランプ大統領。

あとは、「こんなことはわかっていた」と後になって言う評論家の大群だ。

ゴーンいわく「日本には有難い人たちがいる」

カルロス・ゴーンが日産にきた頃、日本ではこんな議論がなされていた。

①当時の通産省は、「日本に乗用車メーカーは一社か二社で十分だ」と繰り返し主張していた。

②具体的には、トヨタかニッサンを中心にして大合併した二社以外は存続できないと考えていた。

③しかし、民間の意見はちがった。三社以上で競争した方がよいと考えていた。

④二社だけと決めて国策会社にするのは反対で、まして社長に通産省から天下りがくるのは反対である（どうせまた赤字になる）。

⑤天下り会社では外国に負けてしまう。
⑥民間活力に任せれば、外国に負けない。
⑦すでにプリンス自動車がある。軽自動車にも未来があるから、軽の力を結集してみてはどうか。
⑧アメリカにも弱味がある。

で、民間の長銀は海外渡航の自由化を利用して若手行員を海外視察に出してみたところ、その報告は日本国内の常識とは正反対だった。
①アメリカでは自動車会社の労使が対立している。
②資本家は設備投資をしていない。
③したがって、新技術の導入もしていない。
④アメリカの地域社会は、外国からの投資なら何でも歓迎と言っている。
⑤ヨーロッパ各国は、大量生産でない自動車とその産業化を求めている（具体的には、ドイツはフォルクスワーゲン、フランスはルノー、イタリアはフィアット、ス

ウェーデンはボルボなど）。

⑥それから先は、廃業か売却。

結局、自動車は趣味かスポーツ用の商品だけ生き残るから、多品種・少量生産になった。が、そのベースになるのは、やはり大量生産とプラットホーム化という革命で、それをなしとげたのは日本だった。

合理化には日本のロボットによる組立ての自動化もあった。ヨーロッパの経営者はそれをみて気持ちが悪いと言った。

日本の場合は、現場のプラグマティズムに上層部の外国崇拝を乗せていたから珍無類だった。が、とりあえずは合理化と称して人員整理をした。

財界も官界も言論界も勉強の必要を感じて討論の場をもったが、雑話の席では、

①外国の悪口

②外国人の悪口

③日本人の部下の悪口

④日本の特殊性

ばかりだった。

実際に何をするかについてはゴーンに一任して、自分は「大御所」になれればよし、と考えていた。

ゴーンをワンポイントリリーフにするつもりらしいと聞いたとき、思い出したことがあった。

水商売の経営者に、

「赤字になるのはどんなときですか」

ときくと、

「飲食部門で板前が魚河岸と結んで高価な魚を仕入れるときです」

と言われたことだ。

「そんな人は辞めてもらえばいいじゃないか」

と言うと、

「今は職人を派遣する組合が強くて問題です。ワンポイントリリーフをつれてきて、〝お前の仕事はあの板前をクビにすることだ。うまくやれば御礼をする〟と言う」

と返ってきた。

なるほど、と感心した。それは多分、板前がキックバックをとる証拠をつかむことかと考えた。つまり、ゴーンの場合と同じである。そういう話にすればヨーロッパの資本家達も理解する。

が、少しはちがうこともある。日本には職人気質だったプリンス自動車の支持者がまだたくさんいる。天皇ご一家もそうかもしれない。

宇宙戦艦ヤマトの松本零士氏も同じである。松本零士氏は中島飛行機以来のプリンス支持者で、お互いに共感したことがある。

プリンスを支援する人は他にもいる。第一は「会社のためなら辞めます」と去っていった村山工場と周辺の人達である。もとは中島飛行機の社風が好きで入った人達だが、ゴーンのコスト・カットの対象にされていた。V字回復のためである。

ゴーンもその頃は、「日本には有難い人たちがいる」と新聞に語っていた。

あまり人には言えない健全な常識

世の中には、言いやすい意見と言いにくい意見がある。山本七平氏は、「空気」という表現でそれを説明した。山本氏は、キリスト教の神学校として出発した青山学院から日本陸軍の将校になり、戦争が終わってからは山本書店主として『日本人とユダヤ人』を書いた。そしてあまり普通でない経歴の中で、日本人が持っている暗黙の理解と束縛を「空気」という表現で書いて多くの賛同を得た。

ただし、それは主としてインテリ層からだったと思う。それ以外の日本人は、日本特有の「空気」を特別のことだと思わず暮らしていた。空気は「常識」である。

そこで、インテリ家庭の子供は学校ではなるべく理屈で割りきって考え、社会生活では空気に従うように努力した。いわば二重生活である。もちろん、実際の生活は「空気」の方が大事と分っていた。ホンネとタテマエ、理論と実践と言ってもよい。

上に立つ人は立派なことを言うが、自分では実行していない。もし一〇〇％実行すると、会社は倒産、わが身は失業になるから、ほどほどにやるのが普通である。山本氏は他に〝色気〟という兵隊ことばを提示している。部下は、出世欲がある上司のホンネを簡単に見破る。フィリピンに派遣された部隊が置きざりにされ、日本に生還できる見込みがないのに、まだ昇進欲がある。そんな上司に部下が呆れる話が紹介されている。

同じような例は日産やゴーン氏にもあるから、いつの世も人間は変わらないものである。ゴーン氏は、普通のことばでいえば「せこい」とか「見苦しい」になる。

そんな例をいくつかあげてみる。

①遠藤三郎陸軍中将は「陸軍士官学校の卒業席次がたまたま一番だったので翌年もその翌年も一番を期待されて、一番をつづけるのに心が安まるヒマもなく――と人生を棒に振ったような感想を残している。間もなく大将になるというときに

終戦だから無理もない。

②青山霊園に行くと、明治・大正時代の英雄・偉人の墓が林立しているが、同じような肩書がたくさんあって興ざめする。勲二等の隣には勲一等が、功二級の奥には功一級があるから、出世にはキリがないとわかる。

③宮本武蔵は、剣道の極意を聞かれて〝見切り〟と答えた。それはどんなものかときくと小姓を立たせて眉にメシ粒をつけ、矢庭に切りつけてメシ粒だけを二つにした。それだけの腕があっても士官できない――すでに世は泰平の時代になっている――という意味らしい。

④一生独身だった哲学者のスペンサーは、スペンサー全集を膝に置いて〝これより孫一人の重さが欲しい〟と言ったらしい。名声が確立してから言ったのかもしれないが、ともかく実感がこもったエピソードである。

⑤ある人は、医者をしている友人について「小学校時代からの友人で、いつも一緒に釣りをするのは、歳をとって人に迷惑をかけるだけの存在になったときはいつでも注射をしてくれるよう頼んであるからだ。いわば死に神だが、そんな友人をもって私は幸福だ」と言った。

あまり人には言えない話だが、たしかに幸福だと思う。今の医療の目的は延命の一本槍だが、それは単に生命の〝先延ばし〟かもしれない。東洋的、日本的風土に根ざした医療は、まだ発明されていないのである。早くいえば〝あきらめて死ね〟と言える医療である。

私が子供の頃、親類が集まってもなかなか死なないときは、医者が長男を物陰に呼んで注射をしてもよいか、と手まねで相談するという話があった。その決断を下すから長男は特別扱いされたのかもしれない。が、今は誰もいない。いわば生命の管理人で、その点は医者も同じだった。

⑥近頃の医者は、よく〝エビデンス〟という。生死の境をわたるとき科学の力を借りる話で、症例が何十万例もインターネットで集まる時代になったから、診断が下しやすいらしい。

特に日本では、国民皆保険だから人がよくかかる病気のエビデンスはたくさん集まる。が、エビデンスとは単に確率のことである。だいたい十万回に一回ならもうあきらめて死ね、というのが健全な常識で、それ以上を心配するのはかえって〝不健康〟と言われるらしい。が、こう考えるのは統計学者で、医者ではない。今は、そう考える統計学者の時代である。

私立医科大の縁故入学は当然

グローバリズムとナショナリズムの戦いは、日本では昔からのことである。

グローバリズムの考えは「世界は一つ」で、ナショナリズムの考えは「人はそれぞれ、生まれ育った地方の文明や文化を背負っている」である。「そこに生きる喜びや助けあう力の根源がある」とも考える。それがネイティブ（原住民）の語源で〝生まれを等しくする〟という意味らしい。ネーションも、語源は同じである。

では「人生いろいろ、男だっていろいろ」は悪いのか、それとも「日本人は日本人らしく」がよいのか、と考えるとその答もいろいろある。いろいろあることを楽しめるとよいのだが、それでは具合が悪いと考える人もいる。その人達はなるべく統一した方がよい、それが合理的で効率的だと考えている。そうともいえるがそうでないともいえる。

このごろは旅行が簡単になったので、たくさんの人が海外旅行に出かけて世界各国の文明・文化を比較して楽しんでいる。昔は峠を越えるとたちまちことばが通じないとか、食品の味がまるで変わるといったことがあった。差別の話題になったり冗談の種になったりしたが、そういう地域差があることが面白い――となってしまった。

昔は他家へ嫁にゆくのは一生の大事業で、その苦労を乗りきって長男が後を継いだら、あとは女性の天下でおふくろの味の勝ちになる——というのもあった。

イタリア人がアメリカへ移住してからのそんな苦労は、映画にも小説にもなっている。

日本人が移住した場合との異同を論じた本もある。アメリカは人種のルツボだからみんなそれぞれに苦労してひとつの国をつくったのである。

アメリカの戦争映画をみると兵隊は必ず出身地をきいて、それを話題にして相互理解を深めている。が、今は徴兵制でないからアメリカ軍隊の団結は何を根拠にしているのか不思議である。将校にきくと、「自分は奨学金をもらって軍人になったから、その年季があけるまでは軍人」と考えている。公民権法で人種差別はなくなったから貧富の差が階級差になっている。それが命令する人とされる人の区別になっているとは……である。

となると〝高い教育〟とは何を教えているのかが問われる。

日本では授業料の国家負担による無料化が善政と思われているが、そうなるとなおさら、入試の問題は何をテストしているかが国家的関心事にならないとおかしい。しかし実際は過去問だらけだから、医科大学の入試に縁故が入ってくる。私立なら縁故が多くて当然！　というべきなのに、教授や理事にそんな度胸はないとはおかしい。

昔々『週刊朝日』で、「縁故入学は私学にとっては当然のことだ」と書いたら賛否両論が集まったが、〝私学は寄附金集めが大事だから〟①男子学生で②親も同じ大学で③金もちが一番よいというのがホンネだと教えてくれた。

「患者のことは考えないのか」ときくと、「医者の現場は大半が要領だからね」と教えてくれた。その通りだと思う。

「ならば、そういう病院とそういう医者をつくる大学を考えよう」と言うと、それはすでに始まっている……といろいろなことを教えてくれた。

〝地域医療と地域教育〟は各地でもう始まっている。〝国家試験〟があるから医師の一定水準は守られているらしい。

インターネットで病気の症例が何万でも何十万でも集まる時代が来たから、たいていの病気とその治療の〝標準化〟が進んでいる。だから安くなっているし、診断に狂いがない。薬品の進歩も同じである。名医がヒーローになるドラマもなくなってきた。特に日本のように健康保険が一〇〇%普及しているとエビデンスが数字で出てくる。何もかも数字で出てくるのはよいが、その最終判断が患者の選択では困る。

たとえば、

「当病院は県立です。執刀してくださる先生はA大学卒で、手術の成功率は九五%です。ただし、評判のよいナースが先月高齢のため退職されました。以上の総合判断は自己責任で考えてください」

では困る。そういうときは助言が商売として別に成立する。コンサルタントというか助言をする仕事というかは知らないが、ともかく専門知識はたくさんあるが責任を取らない人が増えてきた。

アメリカでは地域別の医師会による除名という罰があり、国家による統一はないらしい。とても民主的である。

あの戦争に成算はあったか

あと何年か遅く大東亜戦争を始めていればよかったのに……と考えることが多いが、戦争はいつも準備不足で始まる。

それはともかく、近頃のアジアでは開戦前夜のような話が多いので一寸書いてみよう。

もし開戦を待っていれば、どんな世界が展開するのか――それをイメージするには、意外なハプニングや、それが累積した場合の新展開まで考えられる人が必要だが、そういう人は日頃から気をつけていないと見つからない。

日本の上層部に、そういう才能がある人の累積があったか、というとそれはなかった。

日本の上層には一高・東大あるいは陸士、海兵という選抜コースを通ってきた人がたくさんいたが、ただ賢いだけの人が多かった。どんな役に立ったか、については議論が出つくしている。

一口にいえば、戦争が暗転してからの方が面白い。現場の指揮官が多様化して、上より下の評判が高い人がその真価を発揮した話は気持ちがよい。キスカの撤退を成功させた木村昌福（まさとみ）少将は、突入をすすめる部下に対し名言を残している。

「撤収しよう。撤収しておけばまた来れる」

その通りで、木村艦隊は濃霧の晴れ間をつく再突入に成功し、五千名の陸軍を収容して北海道に帰還した。その後、日本軍が生還に成功した話は他にないから、この成功は特筆大書されねばならないと思う。

これに対し、突入して玉砕すれば勇敢！　とは勤務評定不要の戦い方である。日本軍は上に具眼（ぐがん）の士がいるとは思わず単に命令を守って玉砕をくりかえして消滅した。

御前会議で阿南惟幾（これちか）陸軍大臣は、まだまだ残存兵力があると主張したが、それは天皇によって退けられた。阿南陸相夫人は「主人には陸軍大臣はムリでした」

と語っている。

こんな無責任な人達のパフォーマンスに、生命と国費を投じたとは信じられない軍隊である。パフォーマンスにはどんな意味があったか、庶民の気持ちを言えば、勇ましさをみせれば死んでも遺族には年金が支給されるだろう——だったと思う。

物糧で負けた日本軍は、精神では勝つという形を残したかったろうと思うが、そのために玉砕をくりかえしたのは悲惨で愚かだった。

これは上級司令部の無能と無為による悲劇である。

神風特攻隊の第一陣として関行男大尉以下が出撃したのは感状が上聞に達すれば天皇がこの戦いをとめてくれるだろう——と思ったからで、その期待が裏切られて以後、フィリピンの特攻隊基地は暗い空気に包まれた、とある。

天皇は即位直後に明治憲法を守れ、の教えを強調されたので、軍のすることに何も言えなかった。だったら軍の上層部の責任は大きかったと思うが上層部は天皇の〝一言〟に頼った。国民は上には何か成算があるだろうと思ったが、それはなかった。上の無責任があまりにひどいので、追及する気力もなくなっていた。

戦争末期の国民は、徒らにB29の爆撃を見上げていた。

噂話はいろいろあったが、それは成算はあるらしいという噂だった。

確かに成算をもっているつもりの軍人はいた。昭和十五年頃に大流行したのは〝バスに乗り遅れるナ〟で、ドイツの電撃戦の勝利に目がくらんだ軍人が唱えた。ドイツの勝利に便乗しようという考えで、バスはドイツでイギリスとフランスは必敗と考えていた。

あのときは落ちついて再考すべきだった。パリを占領するまではドイツ必勝のように見えたが、第二幕のことは考えていなかった。

考えれば何が見えたか。
①チャーチルとイギリス人の戦争好き。
②ルーズベルトの日本嫌いとアメリカの太平洋進出熱
③アメリカの底力（人口と資源と工業力）
④ヒットラーの対英和平方針

⑤合計すれば長期戦はアメリカ必勝！
だと思うが、ドイツの日本取りこみだけは成功した。日本軍人に親独派が大量に発生したのには驚いたが、日本人は今も軽佻浮薄である（オリンピックの応援ぶりをみればわかる）。

勝つ方に参加する欲だけあって、自分が推進役を果たす気はない。但し、近衛首相には成算があった。

ルーズベルト大統領とサシで会談して、急転直下の解決を目指すという考えだったが、先方が応じなかった。国内では千年間通用した近衛家のお家芸が、唯一の成算だったとは。

あらゆる責任は国民にある

第一次世界大戦が終わったとき、日本人の気持ちは明るかった。しかし、日本陸海軍の気持ちは暗かった。今の日本が暗いのと同じで、暗さと明るさが日本全体の空をおおっていた。

その頃のことは誰も書かないが、今と共通することがあると思うので書いてみよう。

明るかった方の理由は、なんと言っても日本が〝世界列強〟の一つに加わることができたことである。世界三大海軍国、五大陸軍国などである。

さらに、国際連盟の常任理事国にも加わり事務局に次長の席を持った。

そして何よりも大きかったのは、ヨーロッパ全体が虚脱状態で「これからの世界は〇〇を共通の理想としよう」と言いだす元気がなかった。しかし、思想界と政界には日本の声を聞こうという流れが生まれた。その点も今と同じだが、それを言うほどの度胸や見識がヨーロッパには不足していた。むしろそれに代わってニヒリズムとジャパニズムの流行があった。それから病人・半病人の健康回復には温泉がよいという宗教的医療的な温泉めぐりがあった。傷病兵があふれるヨーロッパだったのである。

が、そんなことはさておき、日本人にわかりやすいのは円高だった。暗かった方の原因としては、ルーズベルト大統領の介入によって日露戦争には勝っても賠償金が入らなかったことが大きい。あくまでも賠償金をとるという意欲がないので、そのためのアイデアも出なかった。しかし円高があったので、貿易は黒字でたくさんの日本人が欧州留学や買い物に出かけた。

経済界も好況に沸いたが、それ以外の日本は暗かった。

対米輸出の好調は貧富の差の拡大をともなっていたから、それは社会主義の伸長でもあった。

住友財閥の御曹司が大阪に煙突がたくさん立ちならんで黒煙をはくのを歌によんで

「富はいよいよ偏りゆくらし」

と言ったから、番頭達が眉をひそめたのも当然だった。

それから二十年後、中島飛行機を創設した中島知久平氏は自分がつくった会社がどんどん〝軍が管理する工場〟になってゆくのをみて新入社員達に、

「諸君は就職人気が第一位の中島に入って喜んでいると思うが、もしもこの戦争に勝てば、年産一万機の会社は不要になる。負ければもちろん不要で、どちらにせよ中島飛行機は不要になるからその次のことを考えておけ」

と言ったので、新入社員達はその意味がよくわからなかった。が、それから一年経ってようやくわかるようになったとき、もう日本は敗戦に向かって急坂を転げ落ちていた。

たくさんの人が中島・三菱・川崎などの工場へ動員されて年産一万機を実現するために働いていたが、それはすべて一千馬力級のエンジンで、二千馬力級は「誉」と「火星」だけだった。上級生に「こんなことでいいのですか」と聞くと、「さあね」と頼りない返事だった。

アメリカは二千五百馬力級とジェットエンジンで、「誉」の先がない日本からの開戦はそもそも無理だったとさとるべきだった。

東條英機首相は「開戦後、思いがけない勝利に酔って一年間何もしなかったことが悔やまれる」と言ったらしいが、何とも無責任な首相である。陸軍の組織である憲兵を一般国民相手にまで使用して単に自分の権力を拡大することに夢中だったとは……である。

開戦にあたって陸軍にはどういう自信があったのかと考えてみると、単にドイツが対英戦に勝つことしか見ていなかったという気がする。もっと世界を見る目が必要なときにこんな人に首相を任せたのでは、勝利は望むべくもなかった。

昭和十六年の秋に首相になった東條は「大御心は平和であるぞ」と言って陸軍参謀本部と陸軍省の中をかけまわったらしいが、時すでに遅しだった。東京裁判は連合軍がする前に日本人がするべきだった。陸軍刑法には戦に負けた司令官は軍法会議にかけるという一文があるから、東條がそれを知らぬはずはない。が、それは誰も言えないことだった。

天皇は有難い存在だという人がいるが、それは敗戦時には軍人の代表に立っていただくつもりだったのかもしれない。しかし天皇は、小学生だった皇太子を陸軍の軍人にしなかった。天皇と軍は一体ではないと考えていたのは偉かった。

今は主権在民だから、国民全部に責任がある。開戦責任も敗戦責任も終戦責任も、国会と首相一人に集まっているらしい。

第3章

日本外交の課題と使命

学者的経済とトランプ的思いつき経済の争い

昔々、経団連副会長で三井造船会長だった山下勇氏が、こう歎(なげ)いていた。

ヨーロッパへ行ってきたが、あちらでは工業製品の標準化、規格化を熱心に議論していた。

一度、決定されると日本はその規格と機能にしばられ、昔から何度も煮え湯を飲まされている。

外国のメーカーには有利で、日本には不利なように決定されるからである。

「だから決定の前からメンバーに入らないとダメだと何度も言っているが、わが社でも技術陣は自信満々で『社長、心配はいりません。彼等が決めたら我々はすぐにそれ以上のものをつくります』と言う。が、もうこれからはマネ上手では自慢にならない。開発競争の先頭に立ちつづけないといけないのだ」

と、山下さんは言った。

当方はまだ若かったから、そうだ、そうだ、とただ聞いていた。だが、話は金融にも広がってきて、ヨーロッパの為替業者の談合的な申合せを日本の大蔵省は日本の金融にも国際化、標準化、規格化として適用してきた。

で、頭取に、

「こんなのは蹴とばして下さい。ヨーロッパのＢＩＳ（国際決済銀行）加盟銀行の申し合せは非加盟の日本の銀行には関係ありません。イタリアの某銀行頭取は『一％不足の分はこの顔でみてくれ！』で通したそうですよ」

と言ったが、「大蔵省には弱いからな」で逃げられてしまった。

日本中がそんな程度で何とかなると思っていたから、まだまだ日本は外国次第、お役所次第だった。

金融の根本は信用で、信用は正体不明の浮草である。だから自分で決めてもよいのだが、そんな考えは日本にはなかった。そのためアメリカが信用を失って日本の方がよほど信用されるように変ったのに、長らく気が付かなかった。円高・ドル安時代の到来である。

信用はもともとお客が決めるもので、官庁が決めるものではない。市場が決める、という人がいるが、それもあやしい。市場を操作して儲ける人なら昔からいくらでもいるからである。

市場は信用できないと考えていたのはケインズで、「市場が決定する価格は美人投票に似ている」と言った。人が美人と言えば美人なのである（つまり相場師の世界）。

確かにその通りで、トランプが大統領に当選すると、アメリカでは株が急上昇した。もしもヒラリーなら「金融・証券株」、トランプならアメリカ・ファーストの「事業株」とは簡単明瞭なものである。

つまりアメリカに市場があるとはあまり信じられない。右往左往するだけの投資家ならいる。自己責任で相場をつくりながら運用する人は、ヒラリーとトランプの二人しかいなかったのではないか。

メディアも学者も評論家も日経新聞も、ヒラリーの財力がつくり出す幻影を他社も同じならと追随した……と今なら分かる。

権力者は市場に干渉して相場を上下させるのが大好きである。一番簡単に世の中を動かせるし、利益を得られる。国家には権力も信用もある。それから経済には弾力がある。国家が右へゆけというと、ある程度は右へゆく。中国経済が好例である。

朱鎔基(しゆようき)が「来年の成長は八%だ!(保八)」と言うと、下から上ってくる数字はみんなプラス八%になる。ブレジネフのときのソ連経済もそうだったが、いつまでもそんなことは続かない。値段を押さえると品物が消える。

モスクワの町でアイスクリームだけは公定価格で売っていたが、しばらくするとそれも消えた。

夜の女性の値段は〝靴一足と同じ〟とか、モスクワからワルシャワまで、どこでも一夜百ドルでそろっているのは何故かとか、統制価格と市場価格の差について社会主義国と自由市場国を比較する話はたくさんあった。

民間経済が自然にもっている弾性値を越えた要求を国家がすると、すぐに足が出る。意外なところに出る。オランダで地価の上昇を禁止すると〝犬を一匹つけて高く売る〟――が登場したが翌日、犬は逃げて帰ってくる――とかで、これからのアメリカには学者的理論的統制経済とトランプ的思いつき経済の争いがつづくだろう。

その先に待っているのは、世界全体の混乱だと思う。

国民の疑問――なぜ対米戦争を始めたのか

昭和十六年十二月八日の早朝といえば、日本が世界を相手に大東亜戦争をはじめたときで、ラジオでそう知らされた国民はたいへん驚いた。

「大丈夫か、勝算はあるのか」とみんな思ったが、そんなことは口に出せなかった。

小学校五年生の子供でもいえなかったのだから大人はなおさらで、その日のことを回想する文章はすべて①これで胸がスーッとした、とか②あとは頑張るだけ……だったので国民の心配はぜんぜん晴れなかった。今でも晴れていない。

庶民の話は子供には分りやすかったので、当時聞いたとおりを書けば、
㈠支那事変が手詰まりになったので、陸軍はもうヤケクソになったのではないか。

㈡そんなことはあるまい。何か強力な新兵器ができたに違いない。

㈢たとえば……巨大戦艦大和！

㈣たとえば……新鋭戦闘機ゼロ戦！

㈤ウーン、そういう名前はときどき聞くけどな（ホントにそういう噂はあった）。

㈥しかし根本的な技術や国力の差は埋まってない。

と、結論は常識的だった。子供は、日用品の品質や量から考えて、「ヤッパリ舶来文化には敵わない」と思っていた。

そのとき私が住んでいたところは四国の高松市で、対岸には呉軍港があった。西側の善通寺には敵前上陸専門の善通寺師団がいた。

戦後、第二次大戦中に発明されて、しかも活躍した新兵器一覧がアメリカの本に書いてあったのをみると、アメリカからは原子爆弾とB17とジープで、日本からは上陸用舟艇が入っていた。

「へー」と思ったが、敵が褒（ほ）めるのだから確かである。マレー半島での上陸用舟艇による迂回作戦や、シンガポール上陸作戦や、ガダルカナルの舟艇機動戦などがある。

それはともかく、イギリスから香川経専（のちに香川大学）にきていた英語の先生は、子供が持っていた、出征した父や兄から送られた手紙の切手をアメリカの切手と交換して集めていた。今考えると一〇〇％スパイの人がたくさんいた。それらは昭和十六年の秋には一斉にいなくなった。

今でも日本は情報集めをするには天国だと言われているのだから、当時はもっと天国だったと思う（日本の子供にとっても、アメリカ人の目のつけどころを知る良い機会だった）。

という次第だから、大の大人が負けを承知で開戦を決意したという話は当時も今も信じられない。

とすれば何があるか。

一番先にくるのはドイツ必勝説である。陸軍の中心部がそれにかぶれて「バスに乗り遅れるな」となると、海軍もパールハーバー攻撃を急いだと考えるのである。

陸軍と海軍はかねて予算の取り合いをしていたから、この話は分りやすい。予算をとれば内部の評判がよくなる。仕事がふえ、ポストがふえ、天下り先もふえる。外国の技術を買えば海外旅行もできる。自分の研究もできる。その他いろいろだが、これは今の中国も同じ道を歩んでいる。

当時の日本と同じだと考えれば別に不思議はなく、今はよくてもそのうちボロがでる。

日本が飛躍的に新しいことをはじめたとき中国はどうするか、ついてこられないのに無理をするとその負担は庶民にかかってくる。

いや、もうかかっている——全人代をとりしきっている共産党幹部達の暗い表情をみているとそういう感想が湧いてくる。日本は金持ちだから、何とか日中の共同事業を呼びかけたいが、内部の足並みをそろえるのが先。でもそれがむつかしいとは——である。

中国軍の総参謀副長の大きな部屋には部屋より大きいくらいの書がかかっている。

書き出しは「兵は詭道なり」である。

孫子の兵法とは承知しているが、来客の目に触れるところの一番に掲げているとは一驚した。

「日本人はそれが本心なら隠すのに……」としばらく眺めた。「敵を知り、己れを知れば百戦危うからず……」と続くが、サテ今の中国はそう言えるかどうかが興味深い。

敵を下算し、自分をコントロールできず単に暴走を続けることになるような気がするが、それはさておき、話を戻すとドイツの勝利は近いと信じた日本のコアメンバー達はホントに田舎者ばかりだったと私は当時も今も思っている。

二十一世紀の「内臓に至る病」

トランプ大統領が登場してから、アメリカのインテリはすっかり静かになった。「新しい世界をつくろう」という呼びかけは消え、「新しい世界はかくあるべし」という理想や夢を語る声もない。

それに代って、「北朝鮮を制裁する」という声が出てきた。実力があるアメリカが言うのだから実現性は十分だと思うが、それがあと一歩というところで進まない。「進め！」という声もない。

日本の安倍首相も、「では日本がやる」とは流石に言えない。日米韓中の四カ国で圧力をかけようというところで止まっている。

このまま貿易と金融を制限しているだけでも十分効果はあるのだから何も焦ることはない……三年くらい続けてみるといいと思うがそういう声もない。

これまで世界各国はスパンの短い外交を重ねてきたので、それがクセになっているらしい。どこの国でも内閣の寿命が短くなっているので自然に仕事の期限も短く考えるようになっている。

ではこの際、スパンの長い外交を考えてみよう。日本ならそれができる。どこからも借金をしていないからだ。むしろ融資や投資ならどこの国に対してもたくさんしているから、条件を明示して「かくかく、しかじかの国に対しては今後融資も投資もしない」と声明を出して実行すれば、多分原爆投下と同じくらいの効果がある。

それを首相直轄の〝世界再生政策〟とでも名付けて実行すればよい。折り紙でツルを折るよりよほど確かな効果が期待できる。

日本もそれだけの金持ちになったと思えば国民は貯金した甲斐があったというものだが、今は外務省と経産省に勝手に使われている。

蔣介石は友人から、

「日本との戦争と中国共産党征伐の二つの問題にどう対処する気か」

と訊かれて、

「中国共産党の征伐は『内臓の病気』だが、日本との戦争は単なる『皮膚病』」と答えた。

正にその通りで蔣介石は中国共産党との戦いに負けて台湾に逃げ二度と戻ってこなかった。

二十一世紀の今、予想される戦争はいろいろあるがこの分類を使って考えてみよう。

まず内臓に達する病はたくさんある。

アメリカでは白人至上主義との戦いがすでに内臓に食い込んでいる。貧富の格差も同じである。宗教的原理主義者との戦いはこれからはじまる。アメリカの各州と連邦政府の関係は、独立戦争の昔に戻るかもしれない。

「英語ができないアメリカ人」や「白人でないアメリカ人」はいずれ過半数に達する。

それでもアメリカ人として誇りを持って生きてゆくために必要なものは何か。

これは〝内臓病対策とアメリカ〟という問題である。そのときはカリフォルニアは日本に――フロリダはスペインに――分裂してゆくというのも一案になる。いま、しかしそんなことが問題になるようなときは同じ問題がヨーロッパにも登場しているだろう。中国本土にも。

中国には雲南行省など、行省がいくつかあったが、これは元の時代に中国語による統治を諦めたところという意味らしい。いやはや。

アイデンティティを言いだすとこんな話になって、国家という名称が使えなくなる、とは島国育ちの日本人には想像を超えた話だが、別の言い方をすれば日本は歴史が古いから、トランプが言う〝国境の壁を高くする平和〟はもう実現しているとも言える。

二十一世紀はどこの国も内臓が問題の時代になる。そのとき日本の病気が一番軽ければ日本は何かを世界のために言わねばならない。

四百年続いた帝国主義に代って登場する新しい世界を見るメガネは、実はどこの国にも備わっていると思う。たとえば「温故知新」だが、「郷土再生」「国粋主義」「国家分割」「小国家主義」などを見直してみてはどうだろうか。

北朝鮮が国連を敵にまわして頑張っている姿をみると、「相互確証破壊による均衡」の考えは「小国による世界分裂と均衡」の時代へ向うように見える。

サテ日本は？

日本に甘える国には厳しく対処せよ

久しぶりにテレビを見たら、国会では野党がまだモリカケを追及していた。安倍総理や麻生副総理をはじめ、たった数人の政府首脳に対し、野党が延々と質問を重ねている。

また新しい証拠が出たなどと主張しているが、モリカケ側のメモであって、政府側の書類ではない。政府側の証人はかねて否定していたものだが、それに対して〝疑惑〟は晴れていないとしか言うことができないらしい。

安倍首相は野党の質問に苦笑しながら懇切丁寧に答えているが、野党は一つではない。入れ替わり立ち替わり質問するが、全て同じような質問だから答えも当然同じになる。それでも、野党議員にとってテレビに映る数少ないチャンスなのだろう。

民主主義は手間がかかるのである。少数派とみて粗略にすると、それは独裁への道に通ずる。だから、我慢するのも総理の大事な仕事なのだろうと思った。安倍首相の対応は昔と変わり、まるで小学校の先生のようになっている。

外交・防衛上の問題は山積しているのに、日本国内は相変わらず春風駘蕩（しゅんぷうたいとう）……そう考えると、こんな雑感が湧いてきた。

①海外では、どこの国の指導者も国内に難問を抱えているから、世界に対しての発言がなくなっている。
②世界はメルケルと安倍の二人の動きに注目しているといわれてきたが、今は安倍一人になってきたのではないか。
③だが、安倍外交は「突出」を避けて、いつも数ヶ国を誘い合わせている。が、

しかし、そろそろ誘い合わせる国がなくなってきたから、いよいよ日本に世界でリーダーシップを発揮してほしいと期待する声が出てくるのではないか。

④その前兆といえるかどうかわからないが、例えば北京に精日中国人が出現した。

それは「精神は日本人」という意味で、日本からはじまったコスプレの一つとして、日本海軍士官の制服を着て歩く流行である。

王毅（おうき）外相が「気にするな」「中国人の堕落者だ」と言ったとかで話題になりかけているが、「精日」の特徴は信号を守って道路を渡ることだと聞くと、軽視できないものを感じる。中国人は横暴で、日本人は礼儀正しいという意味に聞こえるからである。

二十年前、海上自衛隊がアラブへ出動したとき、「軍艦旗を見たくない人が多い」と、ある新聞が書いた。そんなことはあるまいと思って聞いて歩いたところ、アジア、アラブの人からは「軍艦旗はいい旗だ。何ひとつ悪いことをしていない。それどころか我々を独立させてくれた」という声を各地で聞いた。

日本の新聞は華人にばかり取材しているらしいが、その華人の受け取り方も「排日」「抗日」「侮日」の時代から変わってきた。

韓国におけるナッツ姫問題（財閥の子弟によるパワハラ問題）の急転も同じである。ある一線を越えると、こういう問題は爆発するらしい。

安倍首相は長い間、辛抱強く応対してきた甲斐があって、どうやら世界の方が日本を見直してきたように思える。

日本式が世界標準になる日は近いらしいがそこで大事なことが二つある。

第一は、日本に甘える国の出現を防止することであり、第二は、日本自身が甘える国に対して厳しい一線を引くことである。

日本の甘さが、周りに甘える国、つまり世界に自立精神不足の国をつくる原因になっていると思うから、そのことへの用心が必要になってきた。

たとえば、アメリカの子供がいまやスーパースターになった大谷翔平選手に対してサインをくれと要求し、さらにバットもくれと言ったらしい。大谷選手は承知したので子供は大喜びしたというが、この報道をどう考えるべきか。

日本人はどう思ったか、アメリカの親達はどう思ったか、それからアメリカの野球評論家は――と大きく考えると話は広がる。

アメリカのオークションでは、そのバットには何ドルの値が付くかという話に広がっていった。日本の常識で考えれば「このバットは一生大切に持っています」だと思うが、今は違うのだろうか。それが知りたい。大谷選手も最初は「やんないよ」と言っていた。

日本発の世界史と日本論が盛んになる

戦争中、空襲警報がでると手近な本を持って防空壕に逃げこんだが、そのころ母が「こんな本が出ていたよ」と京都から持って帰ったのが清野謙次（きよのけんじ）著『日本人種論変遷史』だった。

「日本人はどこからきたかについては、北方渡来説、南方渡来説、西方渡来説などいろいろあるが、日本人は古来からここにいたのです」と書いてあって何となく頼もしく思ったが、せめて「古来とは氷河期が終ったころ、ざっと二万年くらい昔」とでも書いてほしいと思ったものである。

その後、日本人論が盛んになってきたが、相変らず日本人の渡来は約二万年前、とする本が多い。他に文献がないからだと思うが、近頃は年代鑑定法が進歩して弥生時代の始まりがだいぶ繰り上がって三千年前に近くなっているから、〝古来〟と書くだけではすまなくなってきた。

日本海が氷に囲まれて湖になっていたころから日本人は日本列島にいたとなると、その人達は何語を話していたのだろう――と考える。四方八方から渡来する人とその言語の混合があったと考えると、古代日本語の成立には〝征服王朝〟の存在も視野に入ってくる。世界各国の歴史にある話だから日本にあっても不思議ではない。あるとすれば神武天皇の話がそれかも……と想像が広がる。

小学校の歴史の教科書の一ページ目に〝神勅（しんちょく）〟と称するものが登場して「これは一体何なのか」と思ったことがあるが、その再来である。豊葦原（とよあしはら）の瑞穂（みずほ）の国を雲の上からみて、「ここはわが子孫が統治すべき国である」と宣言したのが日本国の始まりとそのとき教えられたが、では国民はどこにいたのか、どう暮らしていたのか、どう受けとったのかは教えられなかった。

神勅のあとは〝神武東征の物語り〟が長く続くので日本列島の住民は簡単には従属しなかったらしいとわかるが、では自分達は何の子孫なのか――が問題である。これは小学生の間でも長く議論になったが、簡単には決まらない。

小学校は香川県にあって同級生には苗字が一字の人が多かった。九州には三字、五字の人が多く、沖縄には五字以上の人が多いと教えてくれる人がいたが、これは鹿児島藩の強制だったという。北海道からの転校生だった私が驚くと、声をおとして他にもいろんなことを教えてくれた。

日本は歴史が古いのでいろいろな話が積み重なっているのである。学校で教えることより、子供の常識の方が深遠ということがあるとそのとき分った。

子供は親から聞いている。親はお寺のお坊さんから法話を聞いている。お坊さんにはお坊さんの学校があってそこでもいろいろ聞いている。こうして伝説や知識や教訓は世にひろがり、落語や講談や芝居にもひろがってその地域全体に共有されるようになる――そう考えて、もしかしてそれが一番広く深いのは日本かも知れないと気がついた。日本の歴史が長いおかげである。

経済学の父といわれるのはアダム・スミスというグラスゴー大学の先生だが、そこでアダム・スミスが教えていたのは言語学と論理学と倫理学で、毎年約百人もの牧師の卵が集って聞いていた――と聞くと突然たくさんのイメージがわき、「そうか」と思うことがいくつかある。

①牧師は雑知識をたくさん持っていないと毎週一回の法話ができない。
②グラスゴーは商業都市で、商人の出入りが多い。
③図書館にはインド・アフリカに広がる本がたくさんある。
④イギリスはその縄張りをスペインやオランダなどから継承しようと狙っていた。
⑤学問・知識は深遠でなくても、広くて新しければ学生が集まる。
⑥イギリス国教会はそんな人材を求めていた。
⑦その人達が牧師になって、大英帝国の情報網の根幹を形成した。

⑧アジアでは、その人達の避暑地が雲仙と軽井沢にできた。
⑨イギリスの狙いは中国市場の支配にあったが、それが日本と衝突したことがこんな話の始まりで、昭和二十年には、とうとう私の家にまでB29の爆弾が落ちてくることになった。
以上が分ると世界が分るのだが……。
こんなことに日本が目覚めると、日本発の世界史や日本論がこれから花盛りになる。

欧米文明クソくらえ

朝の新聞をひろげると、一面に「自衛隊、太平洋島嶼国を支援――米豪と連携」の見出しがあった。

あのあたりは大東亜戦争のとき、日本軍が南進した古戦場だった――と懐かしく思い出していると、約三十年前、ポートモレスビーの市長が日本人一行を歓迎して自宅で開いた大パーティーの光景が目に浮かんだ。市長公邸の入り口には、パプアニューギニア国の高官が日本国の援助を期待してか喜んでか、たくさん並んでいた。

邸内に入ると現地の人が現地の盛装で並んでいたが、それはハダカでハダシでジャングルに自生する植物その他で全身を飾り、さらに現地の音楽がそれを盛り上げていた。

並んでいる美女達は、オッパイ丸出しで踊っている。オッパイを隠す欧米文明・文化などはクソくらえ、の元気がほとばしっている。フト見ると、最前列で踊っている美女は、ナント前日私たちにパプアニューギニアの開発・発展の五カ年計画を説明してくれた人である。

シドニー大学卒だから西欧人、そのなかでもアメリカ人は巨乳崇拝と知ってか知らずか、とにかく自分達の文明・文化をそのまま誇示していた。写真にとるべきかを迷って一度はカメラを引っ込めた自分を反省して、どんどん撮影した――

と書きたいが、やっぱりそれはできなかった。欧米文化中心の教養が邪魔したのである。

実はその数日前、ガダルカナル島に開設したばかりの日本大使館で、大使が「この前の戦争で、日本はこのガダルカナルを戦場にしてたいへんご迷惑をおかけしました」と挨拶したのを聞いて、「当時のガダルカナルはマラリアのため無人島で、人が住む島になったのは米軍が大量のＤＤＴを撒布してからですよ」と話したのに……。私はやっぱり半分アメリカ人だと反省した。

ま、ともかく太平洋の話題になると、戦後の日本人は戦争と文明に関する教養不足が露呈し、謝罪を連発する。

日本はそんなに悪い国だったのか、悪いことをしたのか。そんなことを考えていると、昔、外務省から海外勤務の日本人を相手に「最近の日本事情」を話してほしいと頼まれたことを思い出した。

日本の外食産業革命とコンビニ革命について話したが、日本はどんどん進んでいるからたいへんである。同じ題でも中味を変えねばならない。さらに外国もどんどん進んでいるから、文化相対論ではもう間にあわない。日本が世界文化発展の頂点に立っているのを、どこまで実例をまじえて言えるか。それからお客の進歩発展もある。

たとえば当時最下等の食料だったナマ魚（ザカナ）が、今はアメリカ大統領の接待に使われている。ホテルオークラのすし屋は、片隅に追いやられて品位を傷つけられたと裁判を起こす。

が、そこまでいかないと、これから始まる太平洋を舞台にした日本とロシアその他との交渉にも展望がみえてこない。

ロシアが北方領土にこだわる理由として、オホーツク海にはロシアの原子力潜水艦がアメリカに対抗して潜伏しているからだ、というのがいつも言われる。だが、それを見た人はいないし見ようとする人もいないから、平和日本には軍事評論家がいないらしい。

それでは経済評論家も政治評論家も外交評論家もいないのと同じだ、と思わねばならない。それらは全部一体なのである。

アメリカ人は、マグロ釣りはスポーツと考え、釣った魚は大西洋に捨てていた。だが今は、日本に売れると知って資源保護や漁獲量割当を問題にするようになった。

日本がカニかまぼこを発明するとその原料になる魚が値上がりするのも同じで、太平洋はもう狭いのである。

このように、オホーツク海の価値は周辺国にとっては時々刻々と変化する。今の日本は、こんなに複雑でメンドーな問題にたくさん囲まれている。十一月十八日の産経新聞だけでも、米中ロ、ＡＳＥＡＮ、ＥＵ、日本がそれぞれ貿易や金融だけでなく、難民や移民の受け入れの問題でも右往左往していることが論じられている。

それらを一刀両断して、多国間協定か二国間交渉かと衝突を論じる向きもあるが、そんなことよりも強権型政治の国が世界各地に拡大している方が大問題だと思う。

ウソをつく人は必ず統計を使う

「金のない方が負け」はたいていの場合、真理だが、「金のある方が勝つ」ためには、それ以外に度胸やディールの技術も必要である。

第一、金持ちはケチだから金を出せば勝つと分かっている場合でも、なるべく出さないで勝つ方法はないか、とかいろいろ考えるから、そちらの方に時間とコストがかかる。

それも含めて考えると、トランプのように、簡明に〝アメリカ・ファースト〟と表明しておく人は、乱暴なのではなく、実は賢明なのである。

賢明な人には、着地点が早くみえる。みえない人はバカである。それから新しく権力を握った人は、その地位になれるまではバカにみえる。

実例を挙げると、トランプ大統領もはじめはそうだった。金正恩（キムジョンウン）委員長も同じである。

トランプ大統領は、それまで長く〝社長〟をしてきた。「お前はファイアー（クビ）だ」といえば直ちにそうなる地位だが、大統領になると部下は公務員で、その役目と報酬は法律で決まっている。

中には、議会から任命されて〝大統領のお目つけ役〟をする人もいる。また、キャリアづくりのためにホワイトハウス勤めをしばらくするだけという人もいる。そういう人は「お前はクビだ」と言うと喜んで出ていく。だからホワイトハウスの中は、最初は人事異動が多い。一時的には家族ばかりになったりするから、大統領も人事を解説する報道陣も大変である。

……という予備知識を持って今回の米中関税戦争をみると、北朝鮮がまだまだ駆け引きは続くとみて期限つきの回答を踏みにじってみせたので、トランプは「北は約束を破った」とテレビで両手を広げてみせた。

それぞれが国民に対して自分の宣伝をしているとみれば今まで通りの芝居だが、そうとも言えないのは、その背後にある国家の政治や経済の実力である。

制裁のため、北朝鮮は食料不足が軍に及び、中国はドル不足が国家経済を破綻に追い込んでいる。このままでは北戴河（ほくたいが）会議で習近平は免職になると言いたいが、〝終身ナントカ〟になったばかりでは具合が悪い。中国全体もやはりドル不足で、一帯一路か何かしらないが、大風呂敷を広げての借金作戦はもう終わりである。

ではどうなるか。

ドルを持っているのは日本とアメリカだが、どのように助けるのか、あるいは助けないのか。それから借金の抵当になるものが中国には何があるのか。

戦前であれば、中国の港での関税収入を担保にいただくというのが多用され中国輸出の積出し港にある税関の長には債権国の外国人がなっていた（それを思えばトランプ大統領の関税率引き上げはまだまだ序の口である）。

何しろ、外国人が税関長になって中国がかける輸出税を先取りして残りを中国に渡すと、外国人は約束分しかとらないため収入が増えたと中国側は喜んだというから、中国の汚職は先が知れない――と思いつくままに書いているが、これはアメリカの統計は果たして大丈夫かどうか、と話は進む。

世界各国が発表する貿易統計や関税統計を、そのまま掲載する日本の新聞は信用できない。統計はウソをつかないが、ウソをつく人は必ず統計を使う。したがって、早く言えば〝世界は黒い〟のである。

アメリカが発表する統計には必ず誤差、脱漏という欄があるが、それが大きすぎると言うと、〝では現場へ案内する〟という。

昔のことだが、現場の光景は伝票や報告書が散乱して誰がどこで集計しているのかも分からない。アメリカの経済統計はまず速報値が出て、それから暫定値が出る。確定値が出るのは半年以上先で、もうその時はみる人も論ずる人もいない。

こんなことで良いのか、と聞くと主な変動は防衛費の上下でそれが大きいから、これ以上は追及できない……という。

現場を知らない官庁、学者、評論家の話をそのまま聞いてはいけない。アメリカは、昭和十九年頃の日本と同じ軍事国家なのである。

先日も、ＩＭＦ（国際通貨基金）は世界各国の成長予測を発表していたが、ＩＭＦには日本の財務省からの出向者がいる。それが日本担当になって、本省と相談してつくった数字かもしれないものを、日本のマスコミはなぜ大事がるのか。

米中関税戦争は〝ヤミ試合〟で、やがては支払い停止がやってくる。その次は共産党幹部の海外逃亡である。

言葉を必要とする世界

安楽死が問題になったときのことだが、新聞をみると、元東大医学部長で当時は東大総長だった方の名前が、新設される委員会の座長としてのっていた。人の生死はどの時点で決められるかを決めようという大変な仕事だから、経歴がいくら立派でも大変さに変わりはない。

瞳孔が開いて呼吸が止まって心臓も動かなくなれば、もう生死の境をこえたと判定してもよいということだろうと想像したが、それにしても勇気がいる仕事である。

サントリーの関係でときどきお会いしていたので、「大変ですね」と話しかけると、「そうなんですよ。何か名案はありませんか」という御返事だったが、もちろん私に答えがあろうはずがない。多分、先生にもない。

そのときそのときの社会常識によると言いたいが、それを肩書きの力で人に納得させるようにうまく言えるかどうかである。

「何か医学の世界で新しい言葉がありますか」と逆に聞いたが、やはりないらしい。

「それならその通りをその通りに書いて世の中がだんだん慣れてくれるのを待つんですね」と答えて別れた。横にいた奥様も同感してくださったようだが、それはわからない。

もともとは社会常識の問題で、医学はその補助に使えるかどうかだから、その場所を動いてはいけないのである。

フランス革命でたくさんの友人、知人をギロチンにかけて始末したとき、生き残った人が顔を見あわせて、

「何だか口のうまい人ばかりが生き残ったようだな」

と言ったという話があるが、そんな話を持ち出せる場合でもない。

　しかし有難いことに、日本には暗黙知の世界があって、それでわかるということもある。

　話は人の生死だから、遺言を残すということもある。あるいは吉川英治の名作『宮本武蔵』の〝魚歌水心〟で結ばれる最後の「円明の巻」のように、お通が武蔵に「妻ぢゃ、妻ぢゃとひとこと」と頼んだとき、生涯独身をもう決めていた武蔵は「言ってはかえって味ないものじゃ」と言って去るようなものである。

　これでも〝心の妻はお前一人〟とわかるのが日本語の文化である。

　お通は武蔵のあとを追って旅から旅への一生だったが、

「で、結局二人は結ばれたかどうか」

　と聞くと近頃の日本人は返事にこまる。何でも言葉にしてくれないとわからないのだが、言葉より行動に表れているものを見てくれと言うのが吉川英治であり武蔵である。

　が、それでは信用できないのが女性であり、また言葉の世界である……と自分勝手に決め込んでいたのが昔の男で、それをいうために吉川英治は長い小説を書いたのであろうと思うが、現代は言葉の世界に大分重心が移っていて、それが東大教授や医学部長が忙しくなっている原因らしい。

ひろがるグレーゾーンにどんどん名称をつけてゆくこと、その名前を裏切らない中身をつくることの両方が新しい仕事である。

たとえば先端科学とか、未開分野とか、生命科学とか、未踏領域とか言葉の開発が忙しい。しかしそれをやる人はどこにいるのかと聞くと、今から探すとか、公募するとかでそれにつける名前は当人に考えてもらうとか……である。

フランス革命の後にもそんな時代があったらしく、近代思想とか近代哲学とかが一斉に登場した。

そんな本を持ち歩けば女性が目をとめて質問してくるので、サロンがにぎやかになったとか何とか……である。

そんな流行は今も繰り返されているが、要は学校が黒字になるかどうか、と新しいもの好きが集まるかの二つだ。

前者は補助金行政から逃げられないし、後者は流行の法則にしばられる。後者について言えば、中国人は外見を気にするからホントに新しいことをする人はいないという答えになる。

たとえば中国に行くと、「今日本で流行している経済学は何か」と聞かれる。「ない」と答えるとガッカリされる。「ある」と答えると、いくら用意すればよいかとくる。

これでは永久に後進国だ。

自分でつくるのが先進国である。

周辺国に国家のあるべき姿を教えよう

台湾は中国のものか、それとも台湾は台湾のものか。これは独立とは何か、という問題でもある。

また、日本がポツダム宣言を受諾したとしても、日本はそれまで台湾を五十年間も領有していたから、突然の敗戦で手放したとして、何かを発言する権利と義務があるのではないか、とは誰しも思うことである。

たとえばイギリスは、香港を返還するにあたっていろいろな条件をつけた。で、イギリスと中国は長い間交渉をした。これまでの投資は、誰がどう返済するのか。中国がイギリスに払うのか、香港がイギリスに払うのか。もちろん日本にも払わねばならない。

イギリスは香港で儲けていたから、香港政庁が保有する黒字はすべて中国のものと考えるべきだとなれば、イギリスは〝それでは今のうちに黒字のすべてを使ってしまえ〟となる。

実際、イギリスは返す前にどんどん投資をした。海上に橋をかけてその先に空港をつくった。その工事代金の借金を返すのは中国である。深圳（シンセン）の工業開発はそのようにして始まった。投資は台湾と日本で労働は日本語ができる旧満洲の若い人が集められた。就職先は国家が命令する制度があった。土地はもちろん中国の憲法により国有地だから、中国には多額の国有地貸付け収入が入った。中国共産党幹部の利権である。

その頃、香港から中国へ入国すると至るところに「台胞大歓迎」と書いてあって、案内してくれる人の解説では、台胞とは台湾の阿呆のことだという。発音が同じらしい。

中国人の常識では〝儲けさせてくれる人〟は誰でも阿呆らしく、日本人はもちろんその筆頭なのだが、それは戦中・戦前の強かった日本の記憶があることに加えて、中国共産党の映画が何度も繰り返され、強い日本軍を破るもっと強い中国共産党の姿を放送するので、むしろ強い日本の宣伝にもなっているらしい。

ともあれ、こんなことが香港の一国二制度に由来する暴動の一因になっているから、明治時代の日本は賢明だった。

横浜に〝関内〟という駅があるが、それは税関の中という意味で、関内は無税なので物価が安いと喜ばれたらしいが、本意は大蔵省直轄の土地で、土木建築事業まで大蔵省が経営していた。将来、関内を民間や外資に払下げるときの費用分担問題を避けたと思われる。大蔵省に土木事業部があったとは驚きだった。

明治政府はペリーとの交渉以来、外国人はセチがらいとよく知っていたので、マッカーサー司令部との交渉にあたって各省が、財政、金融問題から逃げたのを大蔵省がまとめて引き受けているうちに、大蔵省はいつしか役所の上の役所になったという。

それは今も続いている。内務省がなくなった後を継いでマッカーサーからの注文を各省に取り次いでいるうちに、仕事の配分係が一段上に立つようになったらしい。だから大蔵省に優秀な人が集まるようになったのであって、順番が逆だと大蔵省の古い人が教えてくれた。難問に立ちむかう官庁がいつの間にか実力をつけるとは、よく分かる話である。国の信用も人の信用も同じである。

李登輝さんは、もともと農業や都市づくりの専門家だった。台北市長のときは、円山大飯店から南下する中央縦貫道路をつくり、その百メートルごとに小公園をつくった。公園のまわりには高層住宅を建てたので、たくさんの市民が朝食は屋台でとるようになった。

日本の学生をつれて台湾にいったとき旅行の感想を報告させると、屋台の朝食がうまかったというのが続いた。そのとき足下のマンホールの字を読んだかと聞くと、誰も気づいていなかった。が、それには「天下の公物」と書いてあった。

李登輝さんにそれを言うと、「そうです。そうなんです。台湾の人には公物という観念がありません」と残念そうな顔をした。苦労だらけの市長生活らしかったが、そのころ中国大陸では市民がマンホールをたたき割って売っていた。

日本も台湾に関しては同じ立場に立っていたのに、外務省は〝敗戦国の外交〟には自ずからハンディキャップがあるとしたので、その機会は逃げてしまった。日本領を放棄する日華平和条約の文章があいまいで、それが今の香港の騒動の原因にもあると思う。

韓国や北朝鮮はもちろん、台湾や香港でゴタゴタが続くのは日本の戦後処理が甘かったからと考えられる。国家をたて、守り、周辺の国にも国家のあるべき姿を教える義務と責任から日本が逃げていると、日本のまわりにだけこんな問題が続くような気がする。

省庁の縄張り争いで削りに削られたもの

昔は民間人がそのまま公務員になる制度があった。昭和三十五年に銀行から経済企画庁への出向を命ぜられて行ってみると、「部員」という名刺をもらった。

「何ですか、これは?」と聞くと、

「もともとは〝首相直属の経済安定本部の部員〟で、国家の将来について起案せよということだが、とりあえずは〝全国総合開発計画の起案〟が仕事だ」

と言う。だが、誰もその仕事をしている人がいない。麻雀ばかりしている。しかし、麻雀をしながら聞くと何でも教えてくれた。

国鉄から出向している人がいて、全然仕事をしない。わけをきくと、

「オレの名刺をよく見ろ、麻原三郎とは〝朝からサボロー〟のことだ」

というのでアッと驚いた。それでもヨーロッパに日本の新幹線を売りこんでも

ダメだ、という理由を教えてくれた。そもそも行先表示が都市の駅名になっている。日本も最初はそのようにつくったので、上野駅は東北方面、新橋駅は東海道、新宿駅は信州松本行きで、上野↓東京↓新宿は相互につながっていなかったという。確かにそうだから、東京を通る線は東西南北ともそれぞれ一本化するのが夢だと言っていたので感心した。

しかし現実は、政治家や官吏が口を出してなかなかうまくいかないから、「民間直営」の東海道新幹線だけが直通化できるという意味である。しかし地元の声が強い民主主義の下では〝全国総合開発〟はむしろ民間事案になるのではないかと考えた。

アメリカのワシントン・ボストン間の新幹線構想も、日本を事業主体に期待する声が強い。多分、それは参加する民間各社があまりに高利益を期待するからに違いない。

高利益の仕事は参加希望が過多で、結局は公共事業になると考えてみた。そこで参加希望者に着手金を多額に要求すると、その声は消滅する。または決定に時間をかけると消滅する。当たり前である。

国有地の払下げを熱望する大地主に対して、まだ元気一杯だった田中角栄氏がこう答えるのを横で聞いたことがある。

「この土地はよい土地である。しかし払下げ希望者の人数が多いから時間がかかる。かけねばならない」

着手金をとる代わりに時間が必要だと教わった。しかし先行利益は未実現利益で先を急ぐ投資家はソンをすることになっている。その例は多い。本州と北海道をつなぐトンネルとか、四国へ海をわたる橋とか、成田空港とか。

また大蔵省から来ている人は、酒税とそれに伴う検査を廃止すれば日本酒はうまくなると言い、地方の税務署から献上される酒をうまいうまいと役得で飲んでいた。酒の格付けを廃止すれば日本酒はうまくなるというのがその人の持論で、実際そうだった。日本は酒税で日清戦争を戦って勝ったのだが……と思いながら聞いた。

満洲国で〝国をつくった〟という人もいて、そのお話を拝聴するとまず人口配置計画をつくる。国境を守るのは国の第一の仕事だからという。次に交通・通信網の基盤をつくる。それから産業を配置して最後に都市を計画的につくる……というので感心したが、「資源開発は？」と聞くと「石炭がある」と言って黙ってしまった。満洲には石油がなかったのである。

この問題は、日米安保でエネルギーはアメリカ依存と決めたので今はみんな忘れている。石油の代わりに原子力で、というのもいつの間にか忘れている。それでも困らない日本になっている。

だとすれば、それを前提にこれからの全国総合開発計画を新たに考えてみてはどうか。それは東南アジア開発と同じである。

われわれの世界をみる目は昔のままだが、それでは済まない、と思いながら全国総合開発計画案を書き上げた。たくさんの人の助言を得てとても勉強になったが、その第一は書き上げてからの上司の縄張り争いである。それぞれの出身省庁の縄張りを守るために論争するが、その中で削りに削られたのは主務官庁がまだなかった公害防止の一章である。

多分、環境庁を新設することで合意が成立し、あとはそこでのポスト争いに移行したと思う。おかげで日本はエンバイロンメント問題の最先端国になったが、それを世界にＰＲしていないので逆に中国に援助をするなどの大損害を受けた。

それを特筆大書して主張するのが、これからの日本外交の使命である。

第4章

世界に冠たる先進国ニッポン

中国共産党が恐れる日本の武器

これからの世界はひとことでいえば「群雄割拠（ぐんゆうかっきょ）」になる。日本の歴史に先例を探せば平安時代のつぎは戦国時代だったようなものである。

世界をひとつにまとめていた強国と大国が消滅してその後を継ぐ国になる競争が始まるのか、またはその競争は辞退してまったく新しいタイプのリーダーになろうとする国がいくつか現れるのか。新しいリーダーは帝国主義的な征服と統一による平和でなく融和による共存共栄の平和をめざすのか（とすれば日本がそれに一番近い）。

トランプはアメリカは世界のリーダーをおりると言ったが、では何になるのか。世界の警察もやめると言った。トランプの理想は共存共栄で責任は分担で費用はワリカンとすれば今の日本に近いが、ではそのとき日米同盟はどうなるのか。

同盟はお互いのために血を流すかどうかが問題だが、これは戦争の問題だから国民の決意が前提になる。決意があれば理由はあとからでもついてくる。相手が戦争をしかけてきたから当方は応戦あるのみ……になる。

こんなことはちょうど百年前の帝国主義時代にもあった。双方が勝てると思えば、小ぜりあいがホントの戦争になる。一歩もゆずらぬ姿勢が重なるとそうなる。第一次世界大戦も第二次世界大戦もそうしてはじまった。ヨーロッパ中が焼け野原になり、日本もそうなって、人ははじめて反省した。

そしてみつけた答は新しく国際機関をつくろう、で、まずは国際連盟だったがそれは失敗した。そこで第二次世界大戦後には国際連合（国連）がつくられたが、国連は日本封じ込めが本業で世界経済を再建する力はない。したがって国連も失敗である。

そもそも経済発展は「自分で働く」のが一番で、自分が働けば、自分が欲しいものが自然にできあがってくる。日本経済・日本社会はそのようにして発生し発展したのだから独自の強さがある。世界がそれに学べば帝国主義に代って群雄割拠の時代がやってくる。ユニークとかオリジナリティとかはアメリカでは最大級のホメ言葉だが、それが日本には自然に備わっている。戦前の文部省教育はそれをこわさずに欧米の知識や科学や技術を導入することに苦心した。〝和魂洋才〟がそのスローガンだった。

四谷に女性ホルモン剤を量産して大企業になった会社があるが、創業者の社長はこんなことを話してくれた。〝わが社の主力製品はもともと牝馬の小便を煮つめたものでこれはとてもよく効く。害もない。しかし厚生省は純粋に人工合成して結晶にしたものしか認可しない。が、これはホルモンの大量投与になるからその方が心配だが仕方がない。馬の小便では商品のイメージも悪いしね〟と。

和魂でいけば安くて良い薬になるが官庁が許可しない。洋才でいけば許可になるが天然自然ではないものを大量摂取すると将来が心配という話である。

官庁が悪いのか客が悪いのか、だが。客は少しずつ変化する。それをみて裁判所も変る。

日米貿易摩擦でも特許戦争でも時間がたてば双方が歩みよって自然な解決が生まれることがある。それは和解率の上昇に現れる。

アメリカの裁判も日本に学んで「証拠開示制度」をつくったら和解率がだんだん上昇して日本に近づいてきた。

「証拠開示制度」は裁判をはじめるにあたり双方がそれぞれもっている証拠を先に見せあうもので後出しジャンケンは認められない。

これをすると専門家は判決の予想がつく。

勝ってもこれ位かと思えば話が早くなってムダな費用と時間が節約されて「和解」になるのである。

考えてみれば日本は昔からこんな裁判をしてきた。同じ日本人が同じ日本語を話して一千年も暮らしてきたのだから「証拠開示」はすでにすんでいる。

だから和解が多かった。

それからもう一つこんなこともある。

子供がもっている人間観、家族観、社会観、国家観と道徳観が日本もアメリカもよく似てきた。日中間もホントはそうなっていると思う。

日本のマンガ、アニメ、映画、ゲームは子供の世界から広く深く大人にも浸透していからで、それがソフトパワーである。

武力による国家間戦争よりこの方が重大だと中国共産党は恐れているそうだ。

アメリカ国務省の人は〝これから日本へゆくがまず子供にマンガの勉強を教わってからゆく〟と言っていた。日本のソフトパワーは笑わせながら勝つから、無手勝つ流で、これを武器に使うとよい。

アメリカの経済学より日本の常識

あるアメリカ人が〝ヒラリーが負けてホントーに良かった〟と言った。〝もし勝っていたら世界は戦争つづきになる〟と言ったのでさらに驚いた。

日本人でも同じことを言う人がいた。

介護か看護かの資格をとって働いている女性が〝ヒラリーは病人だ。したがって長くはつづけられない〟と言うので、ますます驚歎した。選挙運動の最中からである。アメリカのテレビ討論会でスピーチを中断するところをみて〝この人は病人だ〟と言ったのである。

こういう話は、ヒラリーが負けたら次々に出てくるが、それまでは出てこない。「ヒラリーはどうした」となると、人々の日常会話になるが、それがもどってきた。

私の答は〝トランプの世界には常識があったが、ヒラリーの世界にはなかった〟というものである。〝女性初の大統領〟をめざす戦いだから、相当変ったところがあっても不思議はない、という全力投球のムリを感じとっていた日本の女性は偉いと思う。

アメリカの大統領選挙には昔からいろんな言い伝えがある。
①若い方が勝つ、②背が高い方が勝つ、③元気な方が勝つ――で、新しく④カネ持ちの方が勝つ。――特に投票日直前の一週間のテレビやラジオの番組をたくさん買いしめた方が勝つというのがあった。
そこで大口政治献金の規制や届け出がきびしくなり、各種の少数派を結集したトランプ氏が本命のヒラリーに優勢という番狂わせがあった。

ヒラリーは美人で、秀才で、高学歴で、カネ持ちで、友人が多くて……と、巨人軍が四番バッターをそろえたようなのが、かえって悪かったと言われた。

今回トランプとヒラリーがぶつかったときも、メディアやシンクタンクや評論家・学者はヒラリー側についていた。日本の新聞・テレビもそうだった。が、その予測が大外れで全滅したから、全滅の理由を調べるメディアもないとは惨憺（さんたん）たるものである。

これは一般読者の方が常識豊かで、ヒラリーの方が焦（あせ）っていたのであると今なら分かる。

クリントン夫妻の周辺では事故か暗殺かは知らないが、不審死した人が四十七人か四十八人いるという噂もあるが、いずれは噂として流れる価値もなくなって消えてゆくらしい。

日本人一般の常識の方が落ちついている。

高度情報化社会がくると言われたが、日本はとっくにそうなっていたようである。

昭和十八年に地方から東京の私立中学へ転じてみると、田舎者には腰がぬけるようなことを子供たちが話し合っていた。

〝連合艦隊は全滅したからもうない〟

〝陸軍は徴兵年齢を一年くり上げて十九歳にすると言っているが、それでも日本にはもう若い男がいない〟

〝日比谷のホールでは米本土爆撃用の風船爆弾をつくっている〟

〝田無・三鷹の中島飛行機では六発の爆撃機をつくっている〟

〝アメリカも日本も原子爆弾の開発を急いでいる〟

〝日本はソ連に終戦の仲介を依頼している。誰ちゃんの家ではお父さんが特使に行く準備でテンテコマイをしている〟等々。

今から考えるとそれらは全部当っていて、流言蜚語（りゅうげんひご）とか、デマと言った方がまちがいだった。上に立つ人はホントにその程度なのか、と国民の方が驚いていたが、日本人全体は落ちついていた。

そういえば九州の麻生副首相の選挙区は、元は炭鉱なので人心が荒いと思って工場がこない。そこでトヨタと住民が奮起して〝新工場では必ず約束を守って働く〟と決めた。その結果は目ざましく新工場の製品はアメリカでは無試験で納入できるようになった。

となれば——社員はみんな正社員採用になる。——となれば結婚する相手もみつかる——となれば子どももふえる——となって、麻生副首相の選挙区では〝正社員になる——正社員にする。——正社員らしく働く——〟が、三拍子そろって明るい北九州がもどってきた。古い日本の復活が答だったのか、と麻生副首相は笑った。アメリカ伝来の経済学より日本の常識の方がよほど分かりやすい。

日本をとりもどそう。

〝日本の心〟が世界に勝つ

戦国大名の松永大和守久秀（まつながやまとのかみひさひで）は、織田信長から茶碗の名器を譲れと言われたのを断って戦争になり、「信長には渡さぬ」と言って城もろとも茶碗を爆破して死んだ。

こんな話は他にもある。中国にもあるし、ヨーロッパにもある。フェティシズムともいうらしいが、意地を張る権力者はとんでもないことに〝我意〟を張る。

香川県では「ガイなことをしますなあ」と言う。それが〝我意〟だとはこの年になってはじめて知った。多分、領主だった京極家の武士言葉である。

トランプがそうなるのかどうかはまだ分からないが、その兆しはある。

今のところその対象は中国とロシアらしいが、日本も先手予防の研究は必要である。

これからの日本外交は〝猛獣ならし〟だとも言える。世界のパワーがからみ合う姿をうまくたとえている人は少ないから、今のところは「弱肉強食」とか、「帝国主義時代の再来」とか「警察なき世界の将来」と言っているが、なかなかどうして糸が切れたタコをどうまとめるかは誰にも言えない。

今までのように「東西と南北の対立」とか「白人と有色人種」「先進国と後進国」「富裕国と貧乏国」「旧植民地と旧支配国」などなどに加えて宗教対立が入ってき

た。しかもそれが暴力を行使する。自爆テロや無差別攻撃には敵も味方もない。だから今までのような二分法で対立軸を作って論じても、あまり将来予測には使えない。そもそも国別に論じることが、もう古いのかも知れない。

これからの紛争は世界を言語圏別にみるとか、宗教圏別にみるとか、日本文化の浸透具合でみるとか、感謝とか恩がえしとかが分かる文化圏とか、いろいろな見方が必要になる。

たとえば、イギリスは日本とちがって君主からの慈悲と国民からの感謝が国家の根本精神である。新国王の戴冠式ではアングリカン・チャーチの大僧正（アーチ・ビショップ）が新国王に冠を授けるが、その横に立つのはカナダの大僧正で、三番目には日本人の大僧正だったこともある。

が、しかし、その国でも今は日曜日の朝の礼拝に出席してイギリスの聖歌を歌う人数より、モスクに集ってコーランを学ぶ回教信者の方がはるかに多いらしい。

二十年も前からそうだから、イギリスはとっくに回教国になっているという人もいる。イヤハヤだが、そう考えると日本では仏様も神様もまだ健在とは有難い。中国は〝中国には人口攻撃力がある〟として、中国の北方、西方、南方に越境する人口の増加を新しい戦略に数えている。

そのうち中国系住民の居住地はみんな中国領に編入されてしまうだろう。ドイツが「バルチック海沿岸はドイツ人の人口が多い〝ダンチッヒ回廊〟はドイツ領だ」と主張してポーランドに攻めこんだのと同じである。それが一九三九年九月一日の深夜で、直ちにイギリスとフランスがドイツに宣戦布告した。それが第二次大戦のはじまりで、ドイツが英仏に宣戦布告したのはそのあとである。

こんな経緯を書いてもしかたがないが、そのときポーランドは英仏の支援を頼りにしてドイツに宣戦布告し、第二次大戦では戦勝国に仲間入りしたが、しかしポーランド国は雲散霧消してしまった。

スターリンの軍事力を敵にまわして、再度ポーランドのために戦う国はどこにもなかったのである。このように戦争とはやはり実力行使が決め手らしいが、勝つかどうかはやってみなくては分からない。と考えると、これからの世界は自主防衛力強化と同盟国づくりが主戦場になる。

安倍首相の〝地球儀外交〟がそれである。

そのときは、「ポケモン」も「ピカチュウ」も「ワンピース」も「スラムダンク」も「ドラえもん」も「あしたのジョー」も大事な日本の戦友で、それらはすでに子供の心をつかんでいる。それがソフト・パワーのすごいところで、日本は〝日本の心〟をそのままにみせるだけで世界に勝っている。

しかもその〝日本の心〟は千年も前からこの日本列島に自生し、繁茂し根をはっている。

中国伝来の思想も哲学も西洋渡来の科学もすべて日本の庶民の常識は消化済み、とは恐ろしいことである。

日本はフィリピン、インドネシア、ベトナム、オーストラリアの諸国に護衛艦を供与し、いずれは乗員の訓練もするだろう……。となれば南支那海には日本海軍が新しく誕生するようなものである。

国家別の軍事力比較はもう古い……。

明治憲法は生きている

新幹線で大阪へ行き、地下鉄の梅田駅へ下りてゆくと、いかにも大阪のおばさん――いや、〝おばはん〟とみえる人が出発寸前の地下鉄にむかって「まってぇな！」と大声でいった。すると地下鉄の運転手は止まって、おばはんは間にあった。

「いやーこれが大阪だ」と思ったのはもう昔のことだが、大阪の地下鉄は〝市民のもの〟と自信を持って発する声には力があった。

それはそうだろう。大阪の人が力をあわせて草ぼうぼうのキタに御堂筋（みどうすじ）をつくり、その下にミナミからキタへ地下鉄を通した。そんな民間の実力発揮の歴史があるのだ。

梅田とは埋め田のことだという人がいる。確かにそうかもしれない。その後、埋め田は新地になり、ますます発展を続けている。

「北の新地はおもいでばかり雨もよう！」と歌う人は、もう大分古いらしい。朝日新聞は、大阪本社ビルのあった中之島には一等地がたくさんあると思っていた。ただ、意外や意外、一等地はもっとキタの方に移っているとはビルを建て替えてみるまでは分からなかった。

世の中にはこんな話が多い。

観光名所になって外人観光客をたくさん入れるとか、政府に頼んで公共事業をたくさん誘致するとか。「まってぇな！」といっても公営事業は待ってくれない。昔の雰囲気はどんどん消えてゆき、元には戻らない。

役所だらけで神戸のようになる。これを私に教えてくれたのはボストンの市民である。市街地再開発事業の元祖だと思ってボストンへ行ったときのこと。

「日本にも地下鉄があるか」

ときかれたので

「ある。たくさんある」

と答えると、

「それは民営か公営か」

と重ねてきかれた。

「民営で出発したが、今は公営化がすすんでいる」

というと、

「それはよくない。何があろうと公営はよくない。日本は民営を貫け」

といわれた。

相手は通りすがりの一市民だが、「さすが、アメリカ独立運動の烽火が上ったボストンの心はこれか」と感心した。

その頃東京では、地下鉄延伸のためにはまず放射道路を作ってほしいという運動をしていた。地下鉄をつくるのはそれからだと考えていたが、しかしこれはあっけなく解決した。

地下四十メートル以上は地主のものではなく国家のものであるという〝大深度地下ナントカ〟という法律一本でこの問題は解決した。おかげで今なら皇居の下を通って地下鉄を掘ることもできるから、法学部の人はたいしたものだと感心したが、そんなトンネルはまだできていない。

つくろうと言いだす人がいないからで〝天皇は神聖にして侵すべからず〟という明治憲法は今も人々の心の中に生きている。

今は主権在民の民主主義だが、日本人の心の奥にはやはり天皇がある。それは大阪も同じで、現在でも変わらない。

日本では浅草から新橋への延長が済んで、渋谷から先はどうするかが関心事だった時代、日本人にはボストンの人のような信念はなかった。

日本にはそんなに悪い役所も民間業者もなかったからだろうなと想像しただけである。

技術の人はマジメに考え、マジメに計算して将来の東京を考えていた。その上にいる政治家が悪かったとも言えない。日本にも少しはいるようだが、アメリカほどの策略家はいなかった。

アメリカでは、たとえばロサンゼルスは自動車の町で、あまり電車がない。その代わり、道路がありすぎるほどある。

アメリカ全国に鉄道はあるが、貨物ばかりで旅客用がほとんどない。そこで日本に旅客用として新幹線をつくってほしいと注文がくる。親切な日本人はいろいろ考えるが、社会資本を民間事業としてやるのはなかなか大変である。

それにしても、従業員や乗客の社会常識や民度が違うという問題があるが、それが日本並みになるにはいったい何年かかるだろうか。

冷たくするのも国際親善のうち

お正月に海外旅行にゆく人が空港にあふれているのをみると、日本人に生まれてよかったナと思う。

日本には何でもあるのに、それでも外国へゆくのは買いものが主目的ではない。何か珍しい体験をもとめての旅でもない。もちろん勉強でもない。みんなののんびりと行列を作っているのをみると、多分、日本はいい国だと再確認するためにゆくのである。

一番良い再確認の方法はボケーッと休暇を楽しむことだが、日本にいるとそうはいかないから出かける。それにしてもその前にいろいろ気を遣うことがたくさんある。

近所の人からとやかく言われないようにわが家のまわりを掃除したり、ペットを預けたり。出かける前からいそがしいから「日本人の海外旅行」という題でマンガが一本かけるくらいである。

三十年前、中国の新聞で日本への旅行がマンガになっているのをみたが、上司や有力者に配るお土産のことで出発前から頭の中が一杯だというのがあった。題名は「走後門」で、上司の家の裏門へ走る、とはお土産や付け届けが大変という内容だった。

北京で案内してくれた人に日本の空港のコンビニで買ったキャラメルを一箱あげると、大事にポケットにしまって封を切らない。「走後門」に使うつもりらしい。もう一箱ないか、と思ったが旅行中の私には余分のものは何もなく、かえってすまない気持ちで一杯になった。

そう思う日本人は他にもたくさんいたらしく、一度日本へゆくと貰いものでカバンが一杯になるという話もマンガになっていた。

それどころか、倉敷紡績の社長はビニロンの製造工場を丸ごとプレゼントしたので、その頃の中国人は偉い人も偉くない人も全員がビニロンを着ていた。色は紺と茶の二色だけ。偉い人はボールペンをポケットにさす。さらに偉い人はボールペンが二本だったので平等の理想より権力誇示の方が強いと分った。

毛沢東は中国人を何千万人も殺したが、それでも自分が死ねば中国人の根性は元に戻るだろうと言ったらしい。

本当にそうなるのかどうかをずっと気にしているが、習近平が他派と権力闘争をしているやり方のすさまじさをみると、やはり毛沢東は正しかったと分る。

中国では〝歴史は繰り返す〟から歴史を学ぶのは大事なことである。中国人が中国に住んでいる限り、日本人が中国と付き合おうとする限り、日本は何回でも騙される。だから、

㈠中国や韓国とはもう口をきかない。

　または、
㈡〝不快感〟を行動で示す必要がある。

　不快感の表明とは最もおだやかな外交手段でわざと返事をしないとか、相手の名前をまちがえるとかいろいろある。「expression of displeasure」である。

㈢経済交流はするが、それはキャッシュ・オン・デリバリーでする（アメリカの酒場へ入るとウィスキーでも何でも一杯ごとにキャッシュと交換するがそうすれば信用がゼロの人にでも売れる）。

㈣信用ゼロの人も呑める。

㈤もともと信用はゼロの人ばかりだから投資環境調査などはしない。

　相手はそれでも日本からの信用売りを期待していろいろ言ってくるが、
㈥もちろん返事しない。相手の教育になると思って無言を貫く。


　もともとこれが経済交流のホントの姿で、日本は建国以来そういう対等の交流をしてきた。だから日本は独立国だったのであって、日本史を書くならまずそこから書かねばならない。

国際親善より日本の独立確保が先である。

聖徳太子、菅原道真、北条時宗、豊臣秀吉、大隈重信がそうで、わざと冷たくして相手の独立を促すのも国際親善のうちである。

たとえば日本からの後進国援助はもうやめた方がよい。相手の独立心や自主開発をつぶすからだ、と言ってあげた方がよい。コロンボ・プランに日本が最初に手を挙げたときからそう思っている。

先進国のエイドは植民地支配の利権を存続させるためのものだから、日本の「エンジョ」とはまったく別のものであると宣言した方がよい。そう気がついている人はそれを早く本に書いて下さい。世界のためになります。

「日本価格」を知らないマスコミと経産省

月に一度、放談会を開いている。集まる人は、タダならきくという人達である。七月は〝日本の美——直き心〟という題にしたが、出席者が少なかった。日本人なら誰でも分かっていることを白人文明のメガネでみるとこんなに革命的だ、という話を日本人にするのはむつかしい。誰でも内心賛成だから、少し感心してそれで終りである。「日本の文明・文化は二級品」という常識は変わらない。

逆に白人文明はこんなに優れているが、部分的には日本が勝っているという話をすると喜んできく。日本が圧勝しているという話は、オモチャか化粧品かマンガかアニメならきく。

それらには「サブ・カルチャー」と名前をつけて賛成する。が、「サブ」が成長を続けるとやがて「メイン」になるという話はにわかに信じられないらしい。もしもメインになったら自分も採用するが、それまではダメ——という人生態度が固定観念になっている人は〝頑固者〟といわれるがかえって喜ぶ。それも社会には必要な人で、三％くらいはいた方がよい。でも、それ以上は困る。

世の中には「サブ」から「メイン」になる曲がり角がある。それが見える人と見えない人の物語は小説や歴史にたくさん登場する。人は喜んで読む。

だか、それが現実化して身のまわりに実例がでてくると、それを見上げるか、見下げるか、または自分もやってみるか――たいていは形勢観望である。

「そういう話は聞いたことがない」

と言われる。

「アメリカではもうそういう話が出ているのか」

とも聞かれる。

「日本人は昔から分かってます」

と言うと、驚いて
「では出所を教えろ」

となる。

まずは情報の出所をきかれるが、出所はなるべく立派でないといけない。たとえばノーベル賞など外国から賞をもらったのはすぐ信じる。

外務省で情報関係の局長をしている人に、

「出所は私です」

と答えると絶句したが、ややあって、

〝そうか、それでもいいんだナ〟

と納得していた。

そのとき彼は、世界中の情報を集めて上司に報告する仕事をしていた。だから早く言えば上司が感心するのが価値ある情報だが、私には上司はいない。誰からも給料を貰っていない。ガラクタ情報かどうかの判断は私一人でしている。

情報には必ずクレジット（出所や日付）をつけろという人がいるが、そんなことは言ったことも言われたこともない。数字なら自分がつくった数字が日本中で再使用されたこともあるし、無視されたこともある。数字を扱いなれたプロならその限界も特性も分かっていなくてはおかしいが、それほどのプロは滅多にいないとも思っている。たいていは情報の転売価格を気にしている情報のブローカーである。

昔々、インドネシア政府が鉄橋をかけるときIMF（国際通貨基金）からきたアメリカの人が〝USスティールには存在するが日本には存在しない〟寸法の鋼材を指定してきたことがあった。

私は呆れたが、日本側は「いいんですよ。日本は設備投資コストを負担してこれをつくります。そして今後は末長くこの寸法の注文をとりますから」と落ちついていた。

「日本の鋼材は二級品でも一級品の価格で売れます。決してバレません」とも言った。とすれば、トランプが二五％の関税をかけるといっても、それはデータが古いのだろうナと想像している。

鉄鋼製品と言ってもいろいろある。国際標準価格と言ってもいろいろある。日本製ならワンランク高値にしても大丈夫という業界常識があるのなら、検査を多少ゴマかしても「不正」とは言えないだろうナと考えた。

「日本価格」という分類が業界にはあっても経産省や新聞にはないのが古いのかもしれない。中国人の爆買いというが、中国人は日本のものは安くて良いから買うだけだというようなものである。

が、それどころか、間もなく「日本のモノは世界一」「安倍首相は世界一」とかのワールドレコード・エイジがやってくる。一九二〇年以降、第一次世界大戦に勝ったアメリカにもそんな時代があった。日本も同じである。

もっと視野を広くせよ。

日本を見下す国に明日はない

今から数えて約五十年前。シンガポールへ行ったときの仕事は「日本からの援助としてシンガポールは何を求めるべきか」を考えることだった。

先方からの注文は、「ターン・キーで動く製鉄所をつくってほしい」だった。ターン・キーは、鍵を入れて回せばすぐ動くという意味だが、当時、製鉄所は独裁者の勲章といわれていた。

新興独立国は、みな製鉄所さえ持てば近代工業国になれると思っていたが、現場の日本人は違った。日本の財界人もそのころは叩き上げばかりだったから、そんなことは信じなかった。

石川島播磨重工業はシンガポールに進出したが、コンビナートよりも先に、シンガポールに寄港する外国船相手に修繕や補修をする方が先だと考えたから、ジュロンという湿地帯にドックをつくった。そこで修理した船が数年後には必ず帰ってきたから、その仕事は儲かった。

マレーシアから独立したばかりのシンガポールは大いに喜んだが、何より日本人と一緒に働けることを喜んだ。日本人は人種差別をしなかったからである。そんなことを日本人の長所だと考えた人はいなかったが、シンガポールの人はそう思った。

そこからシンガポールの近代化が始まったと思っている。

ただし、あとから来たアメリカ人にはそんな精神はなかったので、単にアメリカ崇拝や近代化礼讃をしたままでは、シンガポールはすぐに行き詰まると考えた。シンガポールの独裁者になったリー・クアンユーはその弊害にすぐ気がついて、金融国家へと国家目標を切りかえた。そして日本を追い越した。

マレーシアのマハティールも、すぐに日本の限界を見抜いたので、あまり通貨危機に巻きこまれることはなかった。

気がつかなかったのは日本人だった。特に、アメリカへ留学して近代経済学を身につけたと思っている日本人である。その点、安倍首相には日本の常識があった。道義とセットになった経済観である。つけ加えれば、トランプ大統領も「経済学はシンゾーに学べ！」と思っているらしい。いいカンである。

いずれ世界中がそうなると思うが、なかなかそうならないのは中国人たちである。多分、中国至上主義が強いからだと思うが、いずれは日本が勝つから気にすることはない。日本を見下す国に、発展はないからである。

同様に、その発展の道を教えられない大学は、日本でも間もなく二流といわれるようになる。
　そのわけを書いてみよう。

　その一　実用性があることを教えられない。
　その二　空理・空論ならたくさん教えられる。
　その三　それでは学生が来なくなるから、いまに百校くらいは潰れるか合併する。
　その四　地方の親は相続税対策の一つとして大学をつくっただけで、学生は来なくてもいいと思っているらしいが、いつまでそう言えるか。
　その五　ではどんな学校になるか。
　その六　文科省に許可をもらっても、生徒が来ない学校はどんな教育改革をすればよいかと心配しているが、すでにそういう学校がいくつも出現している。

　文科省は、「生徒が集まらない学校は合併しなさい。ただし、そのときは在校生を引き受けなさい」というだろうが、在校生は一段格上の大学に行けると大喜びである。

単なる合併ブームで、教育の中味の改革について論じるのが後回しになっているとは本末転倒である。が、それでもいいらしい。

ニュージーランドは、人より羊が多いといわれるが、そんな草原の中に英語学校が立っている。日本人の浪人生がたくさんいて、一年か二年、実地で勉強すればどこかの大学に入れるだろうと思っているらしいが、羊が相手では英語がうまくなるとは思えない。

夕方になると女性がたくさん寮のまわりに集まっていた。学生に何を勉強しているのかと聞くと、柔道を教える先生になりたいと答えたのでアッと驚いた。警察その他に就職できるらしい。

日本の未来は広い。学校の格付けはどんどん変化している。

日本語が国際標準語になる日

二〇一九年六月末、Ｇ20サミットが大阪で開かれ、安倍首相が議長を務める。

今でもサミットなど先進国の集まりがあると世界各国首脳は安倍首相にどんな話し合いだったかと聞くらしいが、トランプ大統領にもそんな問い合わせがあって、ときどき「シンゾーに聞けばよい」と答えるらしいから、各国首脳が安倍首相にさぐりをいれたり、話かけたりするのも無理はない。去年からそうなる予感はあったが、本当にそうなってきたので大阪会議では日本の返事が注目される。

安倍首相は誰が考えても〝そうあって当然〟と思うことを話すが、いつの間にかそれができる日本になっていることに気がつく必要がある。

昔、会議が終わって集まった数人ずつがかたまりになってグラスを片手に話し合っているとき、その中心にいるのは必ずイギリス人だといわれた時代があった。日本人が事件をおこしたときだけ、人は日本人の周りに集まった。それを横目で

見た私の感想は、

①英語は、やっぱり国際標準語らしい（イギリス人はトクをしている）。

②フランス語は、あっという間にその地位を失って御用済みになった。

③だが、そんなことを解説している場合ではなく、中心人物になる人は内容があることを言うのが大切である。

④それは日本語で言っても同じだ（当時はそれはヤセ犬が吠えているように思われた）。

⑤ジョークも同じ。

⑥アメリカ人やイタリア人はよくジョークを言うが、日本人は言わない。それはなぜか。

アメリカ言語学会の会長になった日系三世のカナダ人サミュエル・アイザック・ハヤカワは、

「国際標準語になる言語がもつ資格条件は何か」

と聞かれたとき、

「それは簡単。お金持ちでポケットが膨らんでいる人が話す言語である。その人がどもれば、まわりの人もどもる」

と答えた。

「だから、もうじき日本語がそうなりますよ」

と渡部昇一氏に言うと、しばらく考えてから、

「ギリシャ語からラテン語へ、それからフランス語への移行がそうだったから日本語もやがてはそうなるかも……」

と返された。

「どもることもその一例で、今はピジン・イングリッシュがその段階ではありませんか」

と尋ねると、困った顔をした。英語の試験の採点を変えなくてはいけない、と思ったのかもしれない。

例えば、

「私の父と母は浅草に行ってすき焼きを十人前食べた」を、

「ファザー・マザー・アサクサ・ゴー・オックス・イート・テン・メン・ビフォワー」

と言って、困らないならそれでよい。

自動車メーカーで無資格者が認証をしていると日本の新聞は書きたてるが、ユーザーから文句が出ていないのなら、官庁の検査の方が時代遅れのように思えるのと同じである。

日本が世界の中心国になるのも、同じ道を通るのだと思う。

アメリカの自動車メーカーでは、「カイゼン」などトヨタのカンバン方式から来た言葉がそのまま使われたり、ホンダではオハイオ工場の工員が「整理整頓」と言うようなものである。日本語はいろんな道を通って使われはじめている。

大阪会議でも大阪弁がたくさん使われるだろう。

その昔、横山ノック知事がクリントン大統領にタコ焼きを食べてもらうと張り切っていたことがあった。

幸か不幸かその後公表された資料によると、その日、その時間はモニカ・ルインスキーさんと忙しかったらしく訪日はキャンセルされたが、大阪の人はずいぶんアホらしい目に遭ったものだ。しかし、その後の日本料理ブームでタコ焼きの国際的地位は上がっているようだから、タコが聞いたら「カメヘン、カメヘン」と言うかもしれない。

日本はもう無借金国で、ポケットが膨らんだ債権国になっている。世界各国が日本の後についてくることが、大阪会議でわかるだろう。

安倍首相の〝無手勝流〟

李登輝氏は台北市長のとき、都市計画として公園を百メートルごとにつくった。

そこには緑の大木が生い繁り、屋台があって汁でも汁飯でも目の前でつくって食べさせてくれた。

そこで台北の女性は、朝食の世話から解放されて会社へ行き男まさりの働きをしたので、今に台湾経済は大発展するぞと思った。まさに働き方改革である。

しかし台湾の人は、これは日本人が身をもって教えてくれたことであって、日本人が引き揚げてしまえばあとはどうなることやら……と言った。

台湾人は中国人に戻って巨大な建物を建てて喜ぶ――と思ったが、それでは失礼と考えて、台北の空をアメリカ製自動車の排ガスが充満していることを指して〝これをなくす方が先ですよ〟と言った。

マスキー法の排ガス規制に先行している日本製の小型車を輸入禁止にしているのは、自分で自分の首を絞めているようなものだと言ったが、アメ車に乗って喜んでいる人にはわからないようだった。しかし、わりに早くわかってやがて日本車ばかりになった。良貨が悪貨を駆逐するのは早かったので、それを見て〝世界はいずれ日本化する〟と実感した。

同じように、習近平が行きづまるのも早いと思った。途方もなく大きなことを言うからで、これはいずれ自滅すると感じた。

権力者は自分で自分の考えにブレーキをかける用心を身につけるのが大事だと思うが、なかなかそういう人は少ないのである。

たいていは、権力をさらに集めて雲にそびえる塔をつくろうとする。

戦後革命に成功した中華人民共和国が、新憲法を制定して〝土地国有化〟を宣言したことも好例だが、それは紙の上に書くだけならできるが、その先はどうなるのか想像がつかなかった。

ギリシャ神話に、手に触れるものがみんな金に変わるように神に願ってそれが実現したのはよいが、自分の娘まで金の銅像、いや金像になってしまって慌てて解除をお願いした男の話がある。今の中国の土地国有化にはじまる建築ブームをみると、やっぱりそうだったか、という気がする。

土地に効用があるかは、その土地をどう利用するかにかかっているが、それには資金と技術と市場に関する将来の展望がいる。

中国にはそれがない。権力万能でやれることには永続性がない。たいていの日本人はそれが分かっているが、なかには分かっていない人もいて、分かっていない日本人と分かっていない中国人が提携して欲にからんですることは大失敗になる。

共産党幹部が土地国有化で新しく地主になっても、開発プランがデタラメでは利益が出ない。利益が出ない開発の山ができて結局、中国経済の成長率はどんどん低下した。昔は「保八」と号令すれば八％成長の報告が出そろったが、今は報告も下る一方である。恐らく間もなく五％以下になる（コロナ以前）。

で、安倍首相とトランプ大統領の組み合わせも、今は日本の方が主役になってきたように見える。ＥＵと難民の問題をみていても、ヨーロッパは脱落して世界をリードする力があるのは日本だけになったようである。

もともと中国経済の大発展は日本のおかげなのに、それを感謝せず全部中国共産党の功績にするようでは先が見えている。

結局は台湾を丸ごと頂戴したい、になるから台湾は目が覚めて、北京につくか、それともワシントンにつくかになってきた。日本も傍観は許されない。

では、どうなるのか。

台湾は北京よりワシントンにつくと思うが、そのとき北京はどう出るのか、それから日本は……と考えると、やはり話は日本に戻るが、日本は外国とのことは安倍首相一人に任せているらしい。が、それでは日本が独裁国になる。

安倍首相が、こんな国の面倒をこれ以上はみていられない、と言い出すかもしれない。

またはトランプ大統領がそう言い出すことも考えられる。そうなれば群雄割拠というべきか、バルカン半島的というべきかは知らないが、アジアにそういう混乱が生まれるのは日本の望むところではないから、日本が望むことは他国より先に言わねばならない。

その結果、日本が世界をリードするようになる。

日本には大変な期待がかかっているが、もしかしたら無手勝流の勝利がくる。

それは安倍首相がもう実行している。

まだ世界が気づかない価値観

日本の剣道には不思議な話がいくつもある。

警察は、全国剣道大会の優勝者はぜひわが県から……と思っているが、ある人が決勝戦で負けたとき、〝また一年間、雑布（ぞうきん）がけをします〟と語っていた。ホントに雑布がけの意味で、〝他にすることはない〟と断言したので、さらに驚いたことがある。

雑布がけをして剣道が強くなるのか……と不思議だったが、一年後、その人は挑戦者として勝ち進み優勝したので心から感心した。

雑布がけにどんな効用があるのか、凡人には想像もつかない。まさか、筋力をつけるとかではないと想像するくらいだが、剣道の元祖として「剣聖」と言われた塚原卜伝（つかはらぼくでん）には色んなエピソードがある。

少年講談などで読んだ話だが、

〝渡し船の船中で武芸者が自慢話をする。乗りあわせた卜伝は知らぬ顔で聞いていると、やがて武芸者がからんでくる。卜伝は皆の衆の迷惑にならぬよう川の中洲で勝負しようと答える。武芸者は心得たとばかり船が中洲へ着くやいなやヒラリととび移る。と、そのとき卜伝は竿をとって岸をトンとつくと、船はたちまち川に流されて二人は離ればなれになる……〟

というのが「無手勝流の極意」というお話である。

近頃の日本外交について聞かれると、この話が思い出される。

日本は自然に〝無手勝流〟をする国になった。

それが分かってイライラしているのは韓国。これで勝てるとだんだん分かってきたのが日本で、半信半疑なのは日本のマスコミ。

敗北を予知しているのは習近平。で、中国は形勢観望しながら、この戦いは日本有利と感じている。これまで世界を見下していたEUやイギリスはそれどころではないし、台湾とロシアも新しい日本観が必要と気がついたが、もともとの世界観が古いので新しい発言ができない。

こんな状況で世界は日本の発言待ちだが、肝心の日本があまり発言しないので、なかなか新しい時代が始まらない。

多分、世界には不況がくるが、独裁者にも任期があるから、その人はどうせくるなら早い方がよいと思うかも知れない。不況が早くきて早く終わればよいと思うが、そもそも不景気の正体に関する決定的な経済学はない（どうもそうらしい）。

ではどうするか。

現状で困る人がそれぞれ考えればよい、という考えがある。お金をバラまけばよいというのもある。国家が考えればよいというのもあれば、国家が考えるのは必ず失敗するというのもある。

だいたい経済学は時間を短くとって議論するのが好きだが、短くすれば誤りが少なくなるかわりに面白味がなくなる。

小泉純一郎元首相は厚生大臣になったとき、厚生省とケンカをした。そのときのことだが、厚生省は一切大臣に書類をあげなかったが、小泉新大臣は平気な顔をして好きな音楽を大臣室で聴いていた。仕事はストップしたが、約一カ月後、結局折れたのは厚生省の方である。

大臣のハンコを貰わないと困るのはまず人事、それから許認可その他が色々ある。厚生省も困るが、選挙区からの陳情その他を受けて小泉氏も色々困るだろうと考えたのは視野が狭かった。

小泉氏には何代か続いた不動の地盤があって、選挙区がらみで厚生省にサジ加減を依頼する必要はまったくなかったらしい。

そんな大臣はめったにいないと考えるのは官僚の常識だが、常識外れの人はいる。そういう人が大臣になっただけのことなのに、何を驚いているのか……と国民は思う。

たいていは選挙区からの陳情がたくさんあって、それを聞いてやるのが大臣になった人の第一の仕事なのだが、それが違った。

これが時代の変化である。

剣術の達人が剣術だけでは一国一城の主になれなくなったとき、発明されたのが〝無手勝流〟だが、その価値に気がつく人は少ない。
気がつく国もない。多分あと十年かかる。日本はそれだけ先進国。
日本の教えには、負けるが勝ちというものもある。だから奥が深い。

本書は、月刊誌「WiLL」に連載中
（二〇一七年三月号〜二〇二〇年八月号）の
コラム（繁栄のヒント）を
一部改題加筆して構成したものです。

日下公人（くさか・きみんど）
評論家。1930年、兵庫県生まれ。東京大学経済学部卒業。日本長期信用銀行取締役、(社) ソフト化経済センター理事長や東京財団会長などを歴任。ソフト化・サービス化の時代をいち早く先見し、日本経済の名ナビゲーターとして活躍。未来予測の正確なことには定評がある。近著に『ついに日本繁栄の時代がやって来た』(ワック)、『世界は沈没し日本が躍動する』(ビジネス社・共著) などがある。

日本発の世界常識革命を
世界で最も平和で清らかな国

2020年7月9日　初版発行

著　者　日下公人

発行者　鈴木 隆一

発行所　ワック株式会社
東京都千代田区五番町 4-5　五番町コスモビル　〒102-0076
電話　03-5226-7622
http://web-wac.co.jp/

印刷製本　大日本印刷株式会社

ISBN978-4-89831-821-8